Llyfrau Llafar Gwlad

Rhagor o Enwau Adar

Dewi E. Lewis

Llyfrau Llafar Gwlad

Golygydd y gyfres: Esyllt Nest Roberts

Argraffwyd 'Enwau Adar' Dewi E. Lewis yn 1994
Argraffiad cyntaf 'Rhagor o Enwau Adar': Awst 2006

Rhif Llyfr Safonol Rhyngwladol:
1-84527-070-3

Llun clawr: Glas y Dorlan, E Breeze Jones
Cynllun clawr: Sian Parri

Argraffwyd a chyhoeddwyd gan Wasg Carreg Gwalch,
12 Iard yr Orsaf, Llanrwst, Dyffryn Conwy, LL26 0EH.
℡ *01492 642031*
🖷 *01492 641502*
✆ *llyfrau@carreg-gwalch.co.uk*
Lle ar y we: www.carreg-gwalch.co.uk

Cyflwynedig i'r cywion eraill:
Sulwen, Tony, Bronwen ac Elfyn
ac i gofio am Dylan Morris, Tŷ'r Ysgol, Aberdaron – un o adar Pen Llŷn

Rhagair

Yn 1994 cyhoeddwyd y gyfrol gyntaf o *Enwau Adar*. Ers hynny mae'r byd wedi newid. Yr un flwyddyn cyhoeddwyd cyfrol wych Roger Lovegrove, Graham Williams ac Iolo Williams *Birds in Wales*. Yn 2004 cafwyd cyfrol gynhwysfawr *Adar Môn* gan Peter Hope Jones a Paul Whalley. Yn 2005 cafwyd llawlyfr penigamp *Llyfr Adar Iolo*. Mae'n amlwg bod adareg yng Nghymru yn fyw ac yn iach ac ar gynnydd.

Ers 1994 newidiodd statws nifer o rywogaethau, ychwanegwyd nifer o enwau newydd i'r rhestr genedlaethol, enwyd ac ail-enwyd rhai rhywogaethau o fewn dosbarth gwyddonol. I ddweud y gwir bu cryn hollti plu ym myd yr adar. Cynyddodd y nifer sydd yn gwylio adar ac o ganlyniad cynyddodd y cofnodi. Yng ngoleuni hyn i gyd meddyliais mai da o beth fyddai cyflwyno rhestr newydd o enwau adar.

Unwaith eto lloffwyd o lu mawr o ffynonellau gwahanol: llawysgrifau, cylchgronau, llyfrau nodiadau, llyfrau natur a geiriaduron. Yn hyn o beth adeiladu ar ben sylfeini'r gorffennol yw'r rhestr. Hefyd, cafwyd nifer o enwau gan unigolion oedd yn awyddus i mi eu hychwanegu i'r rhestr – rwy'n ddiolchgar iddynt un ag oll. Cofnodwyd rhai enwau ar lafar gwlad, enwau sydd yn perthyn i ardal, tre neu bentre. Mae'r enwau yn adlewyrchu cyfoeth ein hiaith. Er mwyn pwysleisio hyn rwyf wedi nodi'r ardal lle y cofnodwyd yr enw lle bo hynny yn berthnasol. Unwaith eto hyderaf y bydd y rhestr hon nid yn unig o ddiddordeb i adarwyr ond hefyd i bawb sydd yn cael blas ar enwau.

Diolch i Myrddin ap Dafydd a holl weithwyr Gwasg Carreg Gwalch am eu gwaith caled a diflino.

Cyn gorffen rhaid gwneud apêl. Yr apêl honno yw am 'Ragor o Enwau Adar'. Mae'n siŵr bod degau o enwau eraill i'w cael ar lafar gwlad nad ydynt hyd yma wedi eu cofnodi – da chwi anfonwch nhw ataf.

Dewi E. Lewis
Clydach
Ionawr 2006

Enwau Adar – Cymraeg/Lladin/Saesneg

Cymraeg	Lladin	Saesneg
Aaron	*Alca torda*	Razorbill
	Uria aalge	Guillemot
Abwydfran	*Corvus corone corone*	Carrion Crow
Adan Eira	*Turdus pilaris*	Fieldfare
Adain Goch	*Turdus iliacus*	Redwing
Adain Gŵyr	*Bombycilla garrulus*	Waxwing
Aden Goch	*Turdus iliacus*	Redwing
Aderyn Adein Goch	*Turdus iliacus*	Redwing
Aderyn Bras y Ddrutan	*Emberiza calandra*	Corn Bunting
Aderyn Bras yr Ŷd	*Emberiza calandra*	Corn Bunting
Aderyn Brith	*Alca torda*	Razorbill
Aderyn Bronfraith	*Turdus philomelos*	Song Thrush
Aderyn Bwn America	*Botaurus lentiginosus*	American Bittern *
Aderyn Bwn Lleiaf	*Ixobrychus minutus*	Little Bittern
Aderyn Corff	*Tyto alba*	Barn Owl
	Strix aluco	Tawny Owl
Aderyn Cywarch	*Acanthis cannabina*	Linnet
Aderyn Drycin Bach	*Puffinus assimilis*	Little Shearwater *
Aderyn Drycin Du	*Puffinus griseus*	Sooty Shearwater
Aderyn Drycin Manaw	*Puffinus puffinus*	Manx Shearwater *
Aderyn Drycin Mawr	*Puffinus gravis*	Great Shearwater *
Aderyn Drycin Mwyaf	*Puffinus gravis*	Great Shearwater
Aderyn Drycin y Graig	*Fulmarus glacialis*	Fulmar *
Aderyn Du	*Turdus merula*	Blackbird
Aderyn Du'r Llan	*Apus apus*	Swift
Aderyn Du Pig Felen	*Turdus merula*	Blackbird
Aderyn Du'r Dŵr	*Cinclus cinclus*	Dipper
Aderyn Du'r Mynydd	*Turdus torquatus*	Ring Ouzel
Aderyn Eira	*Plectrophenax nivalis*	Snow Bunting
Aderyn Gwlad yr Haf	*Serinus serinus*	Serin
Aderyn Mair	*Streptopelia turtur*	Turtle Dove
Aderyn Melyn Bach	*Phylloscopus collybita*	Chiffchaff
Aderyn Pen Bawd	*Certhia familiaris*	Treecreeper
Aderyn Pensidan	*Pyrrhula pyrrhula*	Bullfinch
Aderyn Sant Silin	*Circus cyaneus*	Hen Harrier
Aderyn y Berllan	*Pyrrhula pyrrhula*	Bullfinch
Aderyn y Bwn	*Botaurus stellaris*	Bittern *
Aderyn y Cnau	*Nucifraga caryocatactes*	Nutcracker
Aderyn y Cyrff	*Strix aluco*	Tawny Owl

Aderyn y Cyrffyw	*Tyto alba*	Barn Owl
Aderyn y Drycin	*Sturnus vulgaris*	Starling
Aderyn yr Eira	*Turdus pilaris*	Fieldfare
Aderyn y Frochell	*Hydrobates pelagicus*	Storm Petrel
Aderyn y Mynydd	*Passer montanus*	Tree Sparrow
Aderyn y Rup	*Lagopus mutus*	Ptarmigan
Aderyn y To	*Passer domesticus*	House Sparrow *
Aderyn yr Eglwys	*Apus apus*	Swift
Aderyn yr Eira	*Sturnus vulgaris*	Starling
Aderyn yr Ych	*Calidris alpina*	Dunlin
Aderyn y Wystrys	*Haematopus ostralegus*	Oystercatcher
Adiad	*Anas platyrhynchos*	Mallard
Alarch Bewick	*Cygnus bewickii*	Bewick Swan *
Alarch Chwibanol	*Cygnus cygnus*	Whooper Swan
Alarch Dof	*Cygnus olor*	Mute Swan *
Alarch Ddof	*Cygnus olor*	Mute Swan
Alarch Gwyllt	*Cygnus cygnus*	Whooper Swan
Alarch Wyllt	*Cygnus cygnus*	Whooper Swan
Alarch y Gogledd	*Cygnus cygnus*	Whooper Swan *
Anhywel	*Anthus spinoletta*	Rock Pipit
Araf Ehedydd Lleiaf	*Otis tetrax*	Little Bustard
Asgell Arian	*Fringilla coelebs*	Chaffinch
Asgell Dogell	*Fringilla coelebs*	Chaffinch
Asgell Fraith	*Fringilla coelebs*	Chaffinch
Asgell Goch	*Turdus iliacus*	Redwing
Asgell Hir	*Apus apus*	Swift
Asgell Werdd	*Carduelis chloris*	Greenfinch
Atar Dion	*Turdus merula*	Blackbird
Atar Duon	*Turdus merula*	Blackbird
Barcud	*Milvus milvus*	Red Kite *
	Buteo buteo	Buzzard
Barcud Glas	*Circus acruginosus*	Marsh Harrier
Barcud y Môr	*Pandion haliaetus*	Osprey
Barcut	*Milvus milvus*	Red Kite
Barcutan	*Milvus milvus*	Red Kite
	Buteo buteo	Buzzard
Barfog	*Sylvia communis*	Whitethroat
Barfog y Cawn	*Panurus biarmicus*	Bearded Tit
Barnwr y Berth	*Sylvia atricapilla*	Blackcap
Beiri	*Milvus milvus*	Red Kite

Bilcoch	*Haematopus ostralegus*	Oystercatcher
Bili Binc	*Fringilla coelebs*	Chaffinch
Bili Dowcar	*Alca torda*	Razorbill
	Phalacrocorax carbo	Cormorant
Bili Bol Melyn	*Motacilla flava*	Yellow Wagtail
Binc-binc	*Fringilla coelebs*	Chaffinch
Biwits	*Apus apus*	Swift
Bod	*Milvus milvus*	Red Kite
	Buteo buteo	Buzzard
Bod Bacsiog	*Buteo lagopus*	Roughlegged Buzzard *
Bod Coesbluog	*Buteo lagopus*	Roughlegged Buzzard *
Bod Coesgarw	*Buteo Lagopus*	Roughlegged Buzzard *
Bod Cudyll	*Milvus milvus*	Red Kite
Bod Chwiw	*Milvus milvus*	Red Kite
Bod Glas	*Falco columbarius*	Merlin
	Circus cyaneus	Hen Harrier
Bod Fforchog	*Milvus milvus*	Red Kite
Bod Montagu	*Circus pygargus*	Montagu's Harrier
Bod Teircaill	*Buteo buteo*	Buzzard
Bod Tinwen	*Circus cyaneus*	Hen Harrier *
Bod Tinwyn	*Circus cyaneus*	Hen Harrier
Bod Wennol	*Milvus milvus*	Red Kite
Bod y Mêl	*Pernis apivorus*	Honey Buzzard *
Bod y Gwerni	*Circus aeruginosus*	Marsh Harrier *
Bod y Wern	*Circus aeruginosus*	Marsh Harrier
Boda	*Buteo buteo*	Buzzard
Boda Coch	*Milvus milvus*	Red Kite
Boda Coes Garw	*Buteo lagopus*	Roughlegged Buzzard
Boda Cyffredin	*Buteo buteo*	Buzzard
Boda Chwiw	*Milvus milvus*	Red Kite
Boda Garwgoes	*Buteo lagopus*	Roughlegged Buzzard
Boda Gwennol	*Milvus milvus*	Red Kite
Boda Llwyd	*Buteo buteo*	Buzzard
Boda Montagu	*Circus pygargus*	Montagu's Harrier
Boda'r Gors	*Circus aeruginosus*	Marsh Harrier
Boda'r Waun	*Circus pugargus*	Montagu's Harrier
Boda Tinwen	*Circus cyaneus*	Hen Harrier
Boda Tinwyn	*Circus cyaneus*	Hen Harrier
Boda'r Mêl	*Pernis apivorus*	Honey Buzzard
Bodda	*Tringa totanus*	Redshank
Brân Arthur	*Pyrrhocorax pyrrhocorax*	Chough

Brân Big Goch	*Pyrrhocorax pyrrhocorax*	Chough
Brân Bigwen	*Corvus frugilegus*	Rook
Brân Dyddyn	*Corvus corone*	Carrion Crow *
Brân Gernyw	*Pyrrhocorax pyrrhocorax*	Chough
Brân Glan Môr	*Corvus corone cornix*	Hooded Crow
Brân Gochbig	*Pyrrhocorax pyrrhocorax*	Chough
Brân Goesgoch	*Pyrrhocorax pyrrhocorax*	Chough
Brân Iwerddon	*Corvus corone cornix*	Hooded Crow
Brân Ludlyd	*Corvus corone cornix*	Hooded Crow
Brân Lwyd	*Corvus corone cornix*	Hooded Crow *
Brân Nos	*Caprimulgus europaeus*	Nightjar
Brân Syddyn	*Corvus corone corone*	Carrion Crow
Brân Tir	*Corvus corone corone*	Carrion Crow
Brân y Cnau	*Nucifraga caryocatactes*	Nutcracker
Brân y Gors	*Corvus corax*	Raven
Brân y Lludw	*Corvus corone cornix*	Hooded Crow
Brân y Môr	*Larus ribibundus*	Black-headed Gull
Brâni Bach	*Corvus monedula*	Jackdaw
Bras Bach	*Emberiza pusilla*	Little Bunting
Bras Bronfelen	*Emberiza aureola*	Yellow breasted Bunting *
Bras Cyffredin	*Emberiza calandra*	Corn Bunting
Bras Felen	*Emberiza citrinella*	Yellowhammer
Bras Ffrainc	*Emberiza cirlus*	Cirl Bunting *
Bras Gwledig	*Emberiza rustica*	Rusting Bunting *
Bras Hedydd	*Emberiza calandra*	Corn Bunting
Bras Lleiaf	*Emberiza pusilla*	Little Bunting *
Bras Melyn	*Emberiza citrinella*	Yellowhammer *
Bras Penddu	*Emberiza melanocephala*	Black-headed Bunting *
Bras Pengoch	*Emberiza bruniceps*	Red-Headed Bunting *
Bras y Coed	*Emberiza cirlus*	Cirl Bunting
Bras y Graig	*Emberiza cia*	Rock Bunting *
Bras y Ddrutan	*Emberiza calandra*	Corn Bunting
Bras y Gerddi	*Emberiza hortulana*	Ortolan Bunting *
Bras y Gogledd	*Calcarius lapponicus*	Lapland Bunting *
Bras y Gors	*Emberiza schoeniclus*	Reed Bunting
Bras y Cyrs	*Emberiza schoeniclus*	Reed Bunting
Bras y Rutan	*Emberiza calandra*	Corn Bunting
Bras yr Eira	*Plectrophenax nivalis*	Snow Bunting *
Bras yr Ŷd	*Emberiza calandra*	Corn Bunting *
Bras yr Ŷd Penwyrdd	*Emberiza hortulana*	Ortolan Bunting

Brassi Butain	*Emberiza calandra*	Corn Bunting
Brech y Fuches	*Motacilla alba yarrelli*	Pied Wagtail
Breri	*Milvus milvus*	Red Kite
Breuan	*Corvus corone corone*	Carrion Crow
Bridin Bach	*Uria aalge*	Guillemot
Brig-y-coed	*Fringilla coelebs*	Chaffinch
Brith y Cae	*Prunella modularis*	Hedgesparrow
Brith y Coed	*Motacilla alba yarrelli*	Pied Wagtail
Brith y Fuches	*Motacilla alba yarrelli*	Pied Wagtail
	Motacilla alba	White Wagtail
Brith y Fuches Felen	*Motacilla flava*	Yellow Wagtail
Brith y Fuches Lwyd	*Motacilla cinerea*	Grey Wagtail
Brith yr Had	*Motacilla alba yarrelli*	Pied Wagtail
Brith yr Oged	*Motacilla alba yarrelli*	Pied Wagtail
Brochellog	*Oceanodroma leucorhoa*	Leach's Petrel
Bronddu'r Twynau	*Vanellus vanellus*	Lapwing
	Charadrius hiaticula	Ringed Plover
Bronfraith	*Turdus philomelos*	Song Thrush *
Bronfraith Fawr	*Turdus viscivorus*	Mistle Thrush
	Turdus philomelos	Song Thrush
Bronfraith Glas y Graig	*Monticola solitarius*	Blue Rock Thrush *
Bronfraith Yddfddu	*Turdus ruficollis atrogularis*	Black-throated Thrush *
Bronfraith y Graig	*Monticola saxatilis*	Rock Thrush *
Bronfraith y Grug	*Turdus philomelos*	Song Thrush
Bronfraith yr Eira	*Turdus pilaris*	Fieldfare
Brongoch	*Erithacus rubecula*	Robin
Bronlas	*Luscinia svecica*	Bluethroat *
Bronrhudd y Mynydd	*Fringilla montifringilla*	Brambling
Bronrhuddyn	*Erithacus rubecula*	Robin
Bronrhuddyn y Mynydd	*Fringilla montifringilla*	Brambling
Bronwath	*Turdus philomelos*	Song Thrush
Bronwen	*Sylvia communis*	Whitethroat
Bronwen Lleiaf	*Sylvia curruca*	Lesser Whitethroat
Bronwen y Dŵr	*Cinclus cinclus*	Dipper *
Bronwen y Garw	*Cinclus cinclus*	Dipper
Brown y Mynydd	*Acanthis cannabina*	Linnet
Brych y Cae	*Prunella modularis*	Hedgesparrow
Brych y Coed	*Turdus viscivorus*	Mistle Thrush *
Brychga	*Prunella modularis*	Hedgesparrow
Buddai	*Botaurus stellaris*	Bittern
Bwlffin	*Pyrrhula pyrrhula*	Bullfinch

Bwm Fraith	*Turdus philomelos*	Song Thrush
Bwm y Gors	*Botaurus stellaris*	Bittern
Bwmp y Gors	*Botaurus stellaris*	Bittern
Bwmp y Pys	*Emberiza citrinella*	Yellowhammer
Bwncath	*Buteo buteo*	Buzzard *
Bwncath y Wern	*Circus aeruginosus*	Marsh Harrier
Bwstard Bach	*Otis tetrax*	Little Bustard
Bwstard Copog	*Chlamydotis undulata*	Houbara Bustard
Bwstard Mawr	*Otis tarda*	Great Bustard
Caethlydd	*Cuculus canorus*	Cuckoo
Caethlydd y Coed	*Phylloscopus trochilus*	Willow Warbler
Caffalog	*Scolopax rusticola*	Woodcock
Cainc y To	*Passer domesticus*	House Sparrow
Cambig	*Recurvirostra avosetta*	Avocet *
Cantor yr Alpau	*Prunella collaris*	Alpine Accentor
Cap y Lleian	*Parus caeruleus*	Blue Tit
Caran Grychydd	*Ardea cinerea*	Grey Heron
Carfil	*Alca torda*	Razorbill
Carfil Bach	*Platus alle*	Little Auk *
Carfil Gylfin Du	*Alca torda*	Razorbill
Carfil Lleiaf	*Platus alle*	Little Auk
Cas Gan Ffowler	*Rallus aquaticus*	Water Rail
Cas Gan Longwr	*Hydrobates pelagicus*	Storm Petrel
Caseg Eira	*Turdus pilarsi*	Fieldfare
Caseg Wanwyn	*Picus viridis*	Green Woodpecker
Caseg y Ddrycin	*Picus viridis*	Green Woodpecker
	Turdus viscivorus	Mistle Thrush
Cawci	*Corvus monedula*	Jackdaw
Cegiden	*Picus viridis*	Green Woodpecker
Cegwyn Lleiaf	*Sylvia curruca*	Lesser Whitethroat
Ceiliog Mawr	*Tetrao urogallus*	Capercaillie
Ceiliog Du	*Lyrurus tetrix*	Black Grouse
Ceiliog y Coed	*Tetrao urogallus*	Capercaillie *
	Phasianus colchicus	Pheasant
Ceiliog y Gwern	*Otis tarda*	Great Bustard
Ceiliog y Gwern Copog	*Chlamydotis undulata*	Houbara Bustard *
Ceiliog y Gwerni Lleiaf	*Otis tetrax*	Little Bustard
Ceiliog y Mynydd	*Lyrurus tetrix*	Black Grouse
Ceiliog y Rhos	*Lyrurus tetrix*	Black Grouse
Ceiliog y Waun	*Otis tarda*	Great Bustard *

Ceiliog y Waun Lleiaf	*Otis tetrax*	Little Bustard *
Ceinllef Goch	*Falco tinnunculus*	Kestrel
Cerygr y Rhug	*Crex crex*	Corncrake
Cethlydd y Gog	*Anthus pratensis*	Meadow Pipit
Cethlydd yr Ardd	*Sylvia borin*	Garden Warbler
Cethlydd	*Cuculus canorus*	Cuckoo
Cethlydd y Gwrych	*Prunella modularis*	Hedgesparrow
Ciconia	*Ciconia ciconia*	White Stork
Ciconia Gwyn	*Ciconia ciconia*	White Stork *
Cidyll Coch	*Falco tinnunculus*	Kestrel
Cieit	*Milvus milvus*	Red Kite
Cigfran	*Corvus corax*	Raven *
Cigydd Cefngoch	*Lanius collurio*	Red-backed Shrike *
Cigydd Glas	*Lanius minor*	Lesser Grey Shrike *
Cigydd Llwyd Mawr	*Lanius excubitor*	Great Grey Shrike
Cigydd Mawr	*Lanius excubitor*	Great Grey Shrike
Cigydd Pengoch	*Lanius senator*	Woodchat Shrike *
Cilog Gêm	*Phasianus colchicus*	Pheasant
Cityll Coch	*Falco tinnunculus*	Kestrel
Clegar Glas	*Ardea cinerea*	Grey Heron
Clegr y Garreg	*Saxicola torquata*	Stonechat
Clap yr Eithin	*Saxicola rubetra*	Whinchat
Clep Cerrig	*Saxicola torquata*	Stonechat
Clep y Cerrig	*Saxicola torquata*	Stonechat
Clep yr Eithin	*Saxicola rubetra*	Whinchat
Clerddalydd Mawr	*Muscicapa striata*	Spotted Flycatcher
Clochdar Cerrig	*Saxicola torquata*	Stonechat
Clochdar Eithin	*Saxicola rubetra*	Whinchat
Clochdar y Cerrig	*Saxicola torquata*	Stonechat *
Clochdar y Cerrig Fraith	*Saxicola caprata*	Pied Stonechat *
Clochdar y Mynydd	*Ficedula hypoleuca*	Pied Flycatcher
Clochdar yr Eithin	*Saxicola rubetra*	Whinchat
Clugiar	*Perdix perdix*	Partridge
Cniglan	*Vanellus vanellus*	Lapwing
Cnit	*Calidris canutus*	Knot
Cnut	*Calidris canutus*	Knot
Cnocell Brith Bach	*Dendrocopos minor*	Lesser Spotted Woodpecker
Cnocell Fraith Fwyaf	*Dendrocopos major*	Great Spotted Woodpecker *
Cnocell Fraith Leiaf	*Dendrocopos minor*	Lesser Spotted Woodpecker *

Cnocell Werdd	*Picus viridis*	Green Woodpecker *
Cnocell Werdd y Coed	*Picus viridis*	Green Woodpecker
Cnocell y Cnau	*Sitta europaea*	Nuthatch
Cnocell y Coed	*Picus viridis*	Green Woodpecker
Cnot	*Carduelis carduelis*	Goldfinch
Cobler y Coed	*Dendrocopos major*	Great Spotted Woodpecker
Coblyn Brith Lleiaf	*Dendrocopos minor*	Lesser Spotted Woodpecker
Cobler Brith Mwyaf	*Dendrocopos major*	Great Spotted Woodpecker
Coblyn Gwyrdd	*Picus viridis*	Green Woodpecker
Coblyn Lleiaf	*Dendrocopos minor*	Lesser Spotted Woodpecker
Coblyn Mawr	*Dencrocopos major*	Great Spotted Woodpecker
Coblyn Wyrdd	*Picus viridis*	Green Woodpecker
Coblyn y Coed	*Picus viridis*	Green Woodpecker
	Dendrocopos major	Great Spotted Woodpecker
Coch Asgell	*Turdus iliacus*	Redwing
Coch Dan Aden	*Turdus iliacus*	Redwing *
Coch Dan 'i Aden	*Turdus iliacus*	Redwing
Coch Ei Adain	*Turdus iliacus*	Redwing
Coch Gam	*Erithacus rubecula*	Robin
Coch y Berllan	*Pyrrhula pyrrhula*	Bullfinch *
Coch y Cerrig	*Saxicola torquata*	Stonechat
Coch y Goes	*Tringa totanus*	Redshank
Coch y Grug	*Lagopus lagopus scoticus*	Red Grouse
Coch y Fflam	*Phoenicurus phoenicurus*	Redstart
Coch yr Adain	*Turdus iliacus*	Redwing
Coch yr Eithin	*Saxicola rubetra*	Whinchat
Cochiad	*Lagopus lagopus scoticus*	Red Grouse
Coediar	*Phasianus colchicus*	Pheasant
Coeg Dylluan	*Athene noctua*	Little Owl
Coegfran	*Corvus monedula*	Jackdaw
Coeghedydd	*Anthus pratensis*	Meadow Pipit
Coegylfinir	*Numenius phaeopus*	Whimbrel *
Coesgoch	*Tringa totanus*	Redshank
Coesgoch Du	*Tringa erthropus*	Spotted Redshank
Coesgoch Mannog	*Tringa erthropus*	Spotted Redshank

Coeswerdd	*Tringa nebularia*	Greenshank
Cog	*Cuculus canorus*	Cuckoo *
Cog Bigfelen	*Coccyzus americanus*	Yellow-billed Cuckoo *
Cog Bigddu	*Coccyzus erythropthalmus*	Black-billed Cuckoo *
Cogfran	*Corvus monedula*	Jackdaw
Cog Frech	*Clamator glandarius*	Great Spotted Cuckoo *
Cogor	*Coracias garrulus*	Roller
Colier	*Phalacrocorax carbo*	Cormorant
Colomen Ddof	*Columba oenas*	Stock Dove
Colomen Fair	*Streptopelia turtur*	Turtle Dove
Colomen Goed	*Columba palumbus*	Woodpigeon
Colomen Wyllt	*Columba oenas*	Stock Dove *
	Columba palumbus	Woodpigoen
Colomen Grech	*Philomachus pugnax*	Ruff
Colomen y Graig	*Columba livia*	Rock Dove *
Colomen y Glogwyn	*Columba livia*	Rock Dove
Colomen y Goedwig	*Columba oenas*	Stock Dove
Copog	*Upupa epops*	Hoopoe *
Copsyn	*Larus marinus*	Great Blackback Gull
Copsyn y Môr	*Larus marinus*	Great Blackback Gull
Corbibydd	*Calidris minuta*	Little Stint
	Caliaris ferruginea	Curlew Sandpiper
Corfran	*Corvus monedula*	Jackdaw
Corfronfraith	*Catharus ustulatus*	Olive-backed Thrush *
Corhedydd	*Anthus pratensis*	Meadow Pipit
Corhedydd Gyddfgoch	*Anthus cervinus*	Red-throated Pipit *
Corhedydd Melyn	*Anthus campestris*	Tawny Pipit *
Corhedydd Richard	*Anthus novaeseelandiae*	Richard's Pipit *
Corhedydd y Coed	*Anthus trivialis*	Tree Pipit *
Corhedydd y Graig	*Anthus spinoletta*	Rock Pipit *
Corhedydd y Waun	*Anthus pratensis*	Meadow Pipit *
Corhwyad	*Anas crecca*	Teal
Corshwyad Ddu	*Fulica atra*	Coot
Corhwyad yr Haf	*Anas querquedula*	Garganey
Corhwyaden	*Anas crecca*	Teal *
Coriar	*Perdix perdix*	Partridge
Coriar yr Alban	*Lagopus mutus*	Ptarmigan
Cornchwigl	*Vanellus vanellus*	Lapwing
Cornchwiglen	*Vanellus vanellus*	Lapwing *
Cornicell	*Vanellus vanellus*	Lapwing
Cornicyll	*Vanellus vanellus*	Lapwing

Cornicyll Aur	*Pluvialis apricaria*	Golden Plover
Cornicyll Cadwynog	*Charadrius hiaticula*	Ringed Plover
Cornicyll Llwyd	*Pluvialis squatarola*	Grey Plover
Cornicyll y Dŵr	*Fratercula arctiva*	Puffin
Cornicyll y Gors	*Vanellus vanellus*	Lapwing
Cornicyll y Gwynt	*Pluvialis squatarola*	Grey Plover
Cornicyll y Waun	*Vanellus vanellus*	Lapwing
	Numenius arquata	Curlew
Cornor y Gweunydd	*Vanellus vanellus*	Lapwing
Cornwalch	*Falco columbarius*	Merlin
Corn-wich	*Vanellus vanellus*	Lapwing
Cornwigil	*Vanellus vanellus*	Lapwing
Corn y Wich	*Vanellus vanellus*	Lapwing
Corshwyad	*Anas platyrhynchos*	Mallard
Corshwyaden Lwyd	*Anas strepera*	Gadwall
Corshwyaden Wyllt	*Anas strepera*	Gadwall
Corswennol Farfog	*Chlidonias hybrida*	Whiskered Tern *
Corwalch	*Falco columbarius*	Merlin
Cotiar	*Fulica atra*	Coot
Crach hwyaden	*Anas crecca*	Teal
Crach-hwyad	*Anas crecca*	Teal
Crach a Ding-don	*Ardea cinerea*	Grey Heron
Cragell y Coed	*Turdus viscivorus*	Mistle Thrush
Crec crec	*Crex crex*	Corncrake
Crec y Coed	*Turdus viscivorus*	Mistle Thrush
Crec y Garn	*Saxicola torquata*	Stonechat
Crec y Garreg	*Saxicola torquata*	Stonechat
Crec yr Eithin	*Saxicola torquata*	Stonechat
	Saxicola rubetra	Whinchat *
Crecer	*Turdus philomelos*	Song Thrush
Creciar	*Crex crex*	Corncrake
Creciar Frechfawr	*Porzana porzana*	Spotted Crake
Crechi	*Ardea cinerea*	Grey Heron
Crechi Ding Dong	*Ardea cinerea*	Grey Heron
Crechi Glas	*Ardea cinerea*	Grey Heron
Crechydd Dindon	*Ardea cinerea*	Grey Heron
Cregwyn Lleiaf	*Sylvia curruca*	Lesser Whitethroat
Crechydd Mawr	*Ardea cinerea*	Grey Heron
Cregydd	*Coturnix coturnix*	Quail
Crehyr	*Ardea cinerea*	Grey Heron
Crepianog	*Certhia familiaris*	Tree Creeper

14

Crepianwg	*Certhia familiaris*	Tree Creeper
Crëyr	*Ardea cinerea*	Grey Heron
Crëyr Bach	*Egretta garzetta*	Little Egret *
Crëyr Bach Copog	*Egretta garzetta*	Little Egret
Crëyr Copog Lleiaf	*Egretta garzetta*	Little Egret
Crëyr Glas	*Ardea cinerea*	Grey Heron *
Crëyr Gwyn Lleiaf	*Egretta garzetta*	Little Egret
Crëyr Llwydwyn	*Nycticorax nycticorax*	Night Heron
Crëyr Melyn	*Ardeola ralloides*	Squacco Heron *
Crëyr y Nos	*Nycticorax nycticorax*	Night Heron *
Crëyr Porffor	*Ardea purpurea*	Purple Heron *
Cric y Berth	*Sylvia atricapilla*	Blackcap
Criglan	*Vanellus vanellus*	Lapwing
Crigyn Gwair	*Crex crex*	Corncrake
Cripianydd	*Certhia familiaris*	Tree Creeper
Croesbig Wenaden	*Loxia leucoptera*	Two-barred Crossbill *
	Loxia leucoptera	White-winged Crossbill *
Crogell y Coed	*Turdus viscivorus*	Mistle Thrush
Cropiedydd	*Certhia familiaris*	Tree Creeper
Crychdorch	*Philomachus pugnax*	Ruff
Crychydd	*Ardea cinerea*	Grey Heron
Crychydd Cam	*Ardea cinerea*	Grey Heron
Cryhyr	*Ardea cinerea*	Grey Heron
Crymanbig Ddu	*Plegadis falcinellus*	Glossy Ibis *
Crŷr Glas	*Ardea cinerea*	Grey Heron
Crŷr Crancod	*Ardeola ralloides*	Squacco Heron
Cuach	*Gallinago gallinago*	Snipe
Cud	*Milvus milvus*	Red Kite
Cudan	*Milvus milvus*	Red Kite
Cudwalch	*Circus cyaneus*	Hen Harrier
Cudwalch y Gwern	*Circus aeruginosus*	Marsh Harrier
Cudyll Bach	*Falco columbarius*	Merlin
Cudyll Coch	*Falco tinnunculus*	Kestrel *
Cudyll Glas	*Falco peregrinus*	Peregrine
	Accipiter nisus	Sparrowhawk
Cudyll Glas Bach	*Falco columbarius*	Merlin
Cudyll Pengoch	*Falco columbarius*	Merlin
Cudyll Troedgoch	*Falco vespertinus*	Red-footed Falcon *
Cudyll y Gwynt	*Falco tinnunculus*	Kestrel
Cudyll y Rhych	*Crex crex*	Corncrake

Cuddan	*Columba oenas*	Stock Dove
	Columba palumbus	Woodpigeon
Cuddon Walch	*Accipiter gentilis*	Goshawk
Curyll Coch	*Falco tinnunculus*	Kestrel
Curyll Glas	*Accipiter nisus*	Sparrowhawk
Curyll y Gwynt	*Falco tinnunculus*	Kestrel
Cut	*Milvus milvus*	Red Kite
Cwâl	*Coturnix coturnix*	Quail
Cwinc Pensidan	*Carduelis chloris*	Greenfinch
Cŵn Ebrill	*Numenius arquata*	Curlew
Cwrlin	*Numenius arquata*	Curlew
Cwrlig	*Numenius arquata*	Curlew
Cwrlif	*Numenius arquata*	Curlew
Cwrlip	*Numenius arquata*	Curlew
Cwliwn	*Numenius arquata*	Curlew
Cwtiad Aur	*Pluvialis apricaria*	Golden Plover *
Cwtiad Caint	*Charadrius alexandrius*	Kentish Plover *
Cwtiad Euraid	*Pluvialis apricaria*	Golden Plover
Cwtiad Glas	*Pluvialis squatarola*	Grey Plover
Cwtiad Llwyd	*Pluvialis squatarola*	Grey Plover *
Cwtiad Modrwyog	*Charadrius hiaticula*	Ringed Plover
Cwtiad Torchog	*Charadrius hiaticula*	Ringed Plover *
Cwtiad Torchog Bach	*Charadrius dubius*	Little-ringed Plover *
Cwtiad y Môr	*Arenaria interpres*	Turnstone
Cwtiad y Traeth	*Arenaria interpres*	Turnstone *
Cwtiad yr Aur	*Pluvialis apricaria*	Golden Plover *
Cwtiar	*Fulica atra*	Coot *
	Rallus aquaticus	Water Rail
Cwtyn Aur	*Pluvialis apricaria*	Golden Plover
Cwtyn Du	*Limosa limosa*	Black-tailed Godwit
Cwtyn Llwyd	*Pluvialis squatarola*	Grey Plover
Cwtyn yr Aur	*Pluvialis apricaria*	Golden Plover
Cwtyn Modrwyog	*Charadrius hiaticula*	Ringed Plover
Cwynwr y Coed	*Picus viridis*	Green Woodpecker
Cyffolog	*Scolopax rusticola*	Woodcock
Cyffylog	*Scolopax rusticola*	Woodcock *
Cyffylog y Môr	*Limosa lapponica*	Bar-tailed Godwit
Cyfflogyn	*Scolopax rusticola*	Woodcock
Cymynwr y Coed	*Denodrocopos major*	Great Spotted Woodpecker
Cymynwr y Derw	*Picus viridis*	Green Woodpecker

Cynffon Sidan	*Bombycilla garrulas*	Waxwing *
Cynffonwen	*Oenanthe oenanthe*	Wheatear
Cyrliw	*Numenius arquata*	Curlew
Cyrliwn	*Numenius arquata*	Curlew
Cyrnicyll	*Vanellus vanellus*	Lapwing
Chwibanogl Ddu	*Plegadis falcinellus*	Glossy Ibis
Chwibanogl Fynydd	*Numenius arquata*	Curlew
Chwibanogl y Mynydd	*Numenius arquata*	Curlew
Chwibanydd	*Pyrrhula pyrrhula*	Bullfinch
Chwibannwr	*Numenius arquata*	Curlew
Chwibon	*Ciconia ciconia*	White Stork
Chwidlwr Penwaig	*Sterna hirundo*	Common Tern
Chwilog	*Uria aalge*	Guillemot
Chwilog Ddu	*Cephus grylle*	Black Guillemot
Chwilgorn y Mynydd	*Pluvialis apricaria*	Golden Plover
Chwiw	*Anas penelope*	Wigeon
Chwiwell	*Anas penelope*	Wigeon *
Chwiwell America	*Anas americana*	American Wigeon *
Chwiwiad	*Anas penelope*	Wigeon
Chwynwr	*Troglodytes troglodytes*	Wren
Dafad y Gors	*Gallinago gallinago*	Snipe
Delor	*Picus viridis*	Green Woodpecker
Delor Brith	*Dendrocopos major*	Great Spotted Woodpecker
Delor Brith Leiaf	*Dendrocopos minor*	Lesser Spotted Woodpecker
Delor Brith Mwyaf	*Dendrocopos major*	Great Spotted Woodpecker
Delor Fraith Leiaf	*Dendrocopos minor*	Lesser Spotted Woodpecker
Delor y Cnau	*Sitta europaea*	Nuthatch *
Delor y Derw	*Picus virids*	Green Woodpecker
Deryn Coch y Fflam	*Phoenicurus pheonicurus*	Redstart
Deryn Du	*Turdus merula*	Blackbird
Deryn Glas yr Afon	*Alcedo atthis*	Kingfisher
Deryn Pen Aur	*Carduelis carduelis*	Goldfinch
Deryn Penfelyn	*Emberiza citrinella*	Yellowhammer
Dinas Felen	*Emberiza citrinella*	Yellowhammer
Dobi Benwen	*Fulica atra*	Coot

Dobi Benwyn	*Fulica atra*	Coot
Dowciar	*Podiceps cristatus*	Great-crested Grebe
Dridun	*Sturnus vulgaris*	Starling
Dribus	*Sturnus vulgaris*	Starling
Dingiedydd	*Certhia familiaris*	Tree Creeper
Dringwr Bach	*Certhia familiaris*	Tree Creeper *
Drilyn	*Rissa tridactyla*	Kittiwake
Drinus Bach	*Emberiza citrinella*	Yellowhammer
Drinus Felan	*Emberiza citrinella*	Yellowhammer
Drudwen Wridog	*Sturnus roseus*	Rose-coloured Starling*
Drudwsyn	*Sturnus vulgaris*	Starling
Dreiniog	*Carduelis spinus*	Siskin
Drinws Felen	*Emberiza citrinella*	Yellowhammer
Drudwen	*Sturnus vulgaris*	Starling *
Drudws	*Sturnus vulgaris*	Starling
Drudwy	*Sturnus vulgaris*	Starling
Drudwy Gochliw	*Sturnus roseus*	Rose-coloured Starling
Drydw	*Sturnus vulgaris*	Starling
Drydwr	*Sturnus vulgaris*	Starling
Drydws	*Sturnus vulgaris*	Starling
Dryw	*Troglodytes troglodytes*	Wren *
Dryw Bach	*Troglodytes troglodytes*	Wren
Dryw Bach y Ddaear	*Phylloscopus trochilus*	Willow Warbler
Dryw Aur	*Regulus regulus*	Goldcrest
Dryw Bach y Coed	*Regulus regulus*	Goldcrest
Dryw Ben Aur	*Regulus regulus*	Goldcrest
Dryw Ben Felen	*Regulus regulus*	Goldcrest
Dryw Ben Aur	*Regulus ignicapillus*	Firecrest
Dryw Eurben	*Regulus regulus*	Goldcrest *
Dryw Felen	*Phylloscopus collybita*	Chiffchaff
	Phylloscopus trochilus	Willow Warbler
	Phylloscopus sibilatrix	Wood Warbler
Dryw Melyn Cribog	*Regulus regulus*	Goldcrest
Dryw Penfflamgoch	*Regulus ignicapillus*	Firecrest *
Dryw Rhudd Cribog	*Regulus ignicapillus*	Firecrest
Dryw Wen	*Sylvia borin*	Garden Warbler
	Sylvia communis	Whitethroat
	Phylloscopus trochilis	Willow Warbler
Dryw'r Coed	*Phylloscopus sibilatrix*	Wood Warbler
Dryw'r Drysni	*Sylvia communis*	Whitethroat
Dryw'r Dŵr	*Phylloscopus sibilatrix*	Wood Warbler

Dryw'r Ddaear	*Phylloscopus sibilatrix*	Wood Warbler
Dryw'r Helyg	*Phylloscopus trochilus*	Willow Warbler
Dryw'r Hesg	*Acrocephalus schoenobaenus*	Sedge Warbler
Dryw yr Eithin	*Sylvia undata*	Dartford Warbler
Dybruan	*Uria aalge*	Guillemot
Dyfriar Fannog	*Porzana porzana*	Spotted Crake
Dylluan Felynddu	*Strix aluco*	Tawny Owl
Dylluan Fig	*Strix aluco*	Tawny Owl
Dylluan Rudd	*Strix aluco*	Tawny Owl
Dynas Felen	*Emberiza citrinella*	Yellowhammer
Dyrnod yr Eira	*Sturnus vulgaris*	Starling
Eboles Wanwyn	*Picus viridis*	Green Woodpecker
Ehedydd	*Alauda arvensis*	Skylark *
Ehedydd Bach	*Anthus pratensis*	Meadow Pipit
	Alauda arvensis	Skylark
	Anthus spinoletta	Rock Pipit
Ededydd Byrfys	*Carandrella cinerea*	Short-toed Lark
Ehedydd Gopog	*Alauda arvensis*	Skylark
Ehedydd y Coed	*Anthus trivialis*	Tree Pipit
Ehedydd Glan-y-môr	*Eremophila alpestris*	Shorelark
Ehedydd Llwyd	*Calandrella cinerea*	Short-toed Lark *
Ehedydd y Coed	*Lullula arborea*	Woodlark *
Ehedydd y Graig	*Anthus spinoletta*	Rock Pipit
Ehedydd y Llwyn	*Anthus trivialis*	Tree Pipit
Ehedydd y Traeth	*Eremophila alpestris*	Shorelark *
Elycsen	*Branta leucopsis*	Barnacle Goose
Eos	*Luscinia megarhynchos*	Nightingale *
Eryr	*Aquila chrysaetos*	Golden Eagle
Eryr Aur	*Aquila chrysaetos*	Golden Eagle
Eryr Euraidd	*Aquila chrysaetos*	Golden Eagle
Eryr Euraid	*Aquila chrysaetos*	Golden Eagle *
Eryr Gynffonwen	*Haliaeetus albicilla*	White-tailed Eagle
Eryr Melyn	*Aquila chrysaetos*	Golden Eagle
Eryr Tinwyn	*Haliaeetus albicilla*	White-tailed Eagle
Eryr y Dŵr	*Pandion haliaetus*	Osprey
Eryr y Môr	*Pandion haliaetus*	Osprey
	Haliaeetus albicilla	White-tailed Eagle
Eryr y Pysgod	*Pandion haliaetus*	Osprey
Esgudodyll	*Lullula arborea*	Woodlark
Etidd	*Alauda arvensis*	Skylark

Eurben	*Regulus regulus*	Goldcrest
Eurbinc	*Carduelis carduelis*	Goldfinch
Eurgeg	*Oriolus oriolus*	Golden Oriole
Euryn	*Oriolus oriolus*	Golden Oriole *
Euryn Baltimore	*Icterus galbula*	Baltimore Oriole *
Euryn yr Haf	*Piranga rubra*	Summer Tanager *
Ffesant	*Phasianus colchicus*	Pheasant *
Ffwlmar	*Fulmarus glacialis*	Fulmar
Gafar Wibr	*Caprimulgus europaeus*	Nightjar
Gafr Wanwyn	*Gallinago gallinago*	Snipe
Gafr y Gors	*Cuprimulgus europaeus*	Nightjar
	Gallinago gallinago	Snipe
Galan Goch	*Accipiter nisus*	Sparrowhawk
	Falco tinnunculus	Kestrel
Gandan	*Sula bassana*	Gannet
Gans	*Sula bassana*	Gannet
Garan	*Grus grus*	Crane *
	Ardea cinerea	Grey Heron
Garan Hwyad	*Anas platyrhynchos*	Mallard
Garnet	*Sula bassana*	Gannet
Gellan Goch	*Falco tinnunculus*	Kestrel
Gerlan Goch	*Falco tinnunculus*	Kestrel
Gïach	*Lymnocryptes minimus*	Jack Snipe
	Gallinago gallinago	Snipe
Gïach Fach	*Lymnocryptes minimus*	Jack Snipe *
Gïach Fawr	*Gallinago media*	Great Snipe *
Gïach Gyffredin	*Gallinago gallinago*	Snipe *
Gïach Gylfin-hir	*Limnodromus scolopaceus*	Long-billed Dowitcher
Gïach Leiaf	*Lymnocryptes minimus*	Jack Snipe
Gïach Myniar	*Gallinago gallinago*	Snipe
Gïach Pengafr	*Limosa lapponica*	Bar-tailed Godwit
Gïach Unig	*Gallinago media*	Great Snipe
Gïach yr Haf	*Tringa hypoleucos*	Common Sandpiper
Gialchen	*Turdus merula*	Blackbird
Giar Ddŵr	*Gallinula chloropus*	Moorhen
Giar Fach y Dŵr	*Gallinula chloropus*	Moorhen
Giarliw	*Numenius arquata*	Curlew
Glafinir	*Numenius arquata*	Curlew

Glas Bach	*Parus caeruleus*	Blue Tit
Glas Bach y Wal	*Parus caeruleus*	Blue Tit
Glas Dwl	*Parus caeruleus*	Blue Tit
Glas Gynffon-hir	*Aegithelos caudatus*	Long-tailed Tit
Glaslyn Bach	*Parus caeruleus*	Blue Tit
Glas y Ceulan	*Alcedo atthis*	Kingfisher
Glas y Dorlan	*Alcedo atthis*	Kingfisher *
Glas y Dŵr	*Alcedo atthis*	Kingfisher
Glas y Pared	*Parus caeruleus*	Blue Tit
Glas yr Afon	*Alcedo atthis*	Kingfisher
Glasyn Bach y Pared	*Parus caeruleus*	Blue Tit
Glifirin	*Numenius arquata*	Curlew
Golfan	*Passer domesticus*	House Sparrow
Golfan Tingoch	*Acanthis flavirostris*	Twite
Golfan y Coed	*Passer montanus*	Tree Sparrow
Golfan y Gors	*Emberiza schoeniclus*	Reed Bunting
Golfan y Mynydd	*Passer montanus*	Tree Sparrow *
Golfan y Graig	*Petronia petronia*	Rock Sparrow *
Golfan yr Eira	*Plectrophenax nivalis*	Snow Bunting
Gorwr Cregin	*Haematopus ostralegus*	Oystercatcher
Gorwr Westras	*Haematopus ostralegus*	Oystercatcher
Gosog	*Accipter gentilis*	Goshawk
Grug Walch	*Falco columbarius*	Merlin
Grugiar	*Lagopus lagopus scotia*	Red Grouse *
Grugiar Ddu	*Lyrurus tetrix*	Black Grouse *
Grugiar Goch	*Lagopus lagopus scoticus*	Red Grouse
Grugiar yr Alban	*Lagopus mutus*	Ptarmigan *
Gwae Fi	*Vanellus vanellus*	Lapwing
Gwalch	*Accipiter nisus*	Sparrowhawk
Gwalch Bach	*Falco columbarius*	Merlin
Gwalch Camin	*Falco peregrinus*	Peregrine
Gwalch Glas	*Falco peregrinus*	Peregrine
	Accipiter nisus	Sparrowhawk
Gwalch y Grug	*Falco columbarius*	Merlin
Gwalch y Mecryll	*Puffinus puffinus*	Manx Shearwater
Gwalch Lleiaf	*Falco columbarius*	Merlin
Gwalch Marth	*Accipter gentilis*	Goshawk *
Gwalch y Môr	*Pandion haliaetus*	Osprey
Gwalch y Nos	*Caprimulgus europaeus*	Nightjar
Gwalch y Penwaig	*Alca torda*	Razorbill
Gwalch y Pysgod	*Pandion haliaetus*	Osprey *

Gwalch y Weilgi	*Pandion haliaetus*	Osprey
Gwas y Dryw	*Parus caeruleus*	Blue Tit
	Aegithelos caudatus	Long-tailed Tit
Gwas y Gog	*Anthus pratensis*	Meadow Pipit
	Prunella modularis	Hedgesparrow
Gwas y Gwcw	*Prunella modularis*	Hedgesparrow
Gwas y Neidr	*Emberiza citrinella*	Yellowhammer
	Jynx torquilla	Wryneck
Gwas y Seiri	*Carduelis carduelis*	Goldfinch
Gwas y Shiriff	*Carduelis carduelis*	Goldfinch
Gwas y Siri	*Carduelis carduelis*	Goldfinch
Gwcw	*Cuculus canorus*	Cuckoo
Gwdihŵ	*Tyto alba*	Barn Owl
Gwdihŵ Goch	*Strix aluco*	Tawny Owl
Gwdihŵ	*Strix aluco*	Tawny Owl
Gwddfgam	*Jynx torquilla*	Wryneck
Gwddfgwyn Lleiaf	*Sylvia curruca*	Lesser Whitethroat
Gwddw Gwyn	*Sylvia communis*	Whitethroat
Gwddfwyn	*Sylvia communis*	Whitethroat
Gweligam	*Erithacus rubecula*	Robin
Gwenfol	*Hirundo rustica*	Swallow
Gwennol	*Hirundo rustica*	Swallow *
Gwennol Ddu	*Apus apus*	Swift *
Gwennol Ddu'r Alpau	*Apus melba*	Alpine Swift *
Gwennol Fronwen	*Delichon urbica*	House Martin
Gwennol Fuan	*Apus apus*	Swift
Gwennol Fuan yr Alpau	*Apus melba*	Alpine Swift
Gwennol Gwblddu	*Apus apus*	Swift
Gwennol y Bargod	*Delichon urbica*	House Martin
Gwennol y Bondo	*Delichon urbica*	House Martin *
Gwennol y Dŵr	*Riparia riparia*	Sand Martin
	Apus apus	Swift
Gwennol y Glennydd	*Riparia riparia*	Sand Martin *
Gwennol y Llynnau	*Riparia riparia*	Sand Martin
Gwennol y Llynnoedd	*Riparia riparia*	Sand Martin
Gwennol y Môr	*Sterna hirundo*	Common Tern
Gwennol y Mur	*Delichon urbica*	House Martin
Gwennol y Nos	*Caprimulgus europaeus*	Nightjar
Gwennol y Muriau	*Delichon urbica*	House Martin
Gwennol y Simnai	*Hirundo rustica*	Swallow
Gwennol y Traeth	*Riparia riparia*	Sand Martin

Gwepia	*Accipiter nisus*	Sparrowhawk
Gwialchen	*Turdus merula*	Blackbird
Gwibedwr Ysmotiog	*Muscicapa striata*	Spotted Flycatcher
Gwibiwr	*Accipiter nisus*	Sparrowhawk
Gwilym	*Uria aalge*	Guillemot
Gwilym Du	*Cephus grylle*	Black Guillemot
Gwinc	*Fringilla montifringilia*	Brambling
	Fringilla coelebs	Chaffinch
Gwipa	*Accipiter nisus*	Sparrowhawk
Gwipia	*Accipiter nisus*	Sparrowhawk
Gwipiai	*Accipiter nisus*	Sparrowhawk
Gwrach	*Phylloscopus sibilatrix*	Wood Warbler
Gwrach yr Ellyll	*Apus apus*	Swift
Gwrachan Bach	*Prunella modularis*	Hedge Sparrow
Gwrachell y Cae	*Prunella modularis*	Hedge Sparrow
Gwrychell	*Prunella modularis*	Hedge Sparrow
Gwyach Fach	*Tachybaptus ruficollis*	Little Grebe *
Gwyach Fawr	*Podiceps cristatus*	Great-crested Grebe
Gwyach Fawr Gopog	*Podiceps cristatus*	Great-crested Grebe *
Gwyach Glustiog	*Podiceps nigricollis*	Black-necked Grebe
	Podiceps auritius	Slavonian Grebe
Gwyach Gorniog	*Podiceps cristatus*	Great-crested Grebe
	Podiceps aruitius	Slavonian Grebe *
Gwyach Leiaf	*Tachyboptus ruficollis*	Little Grebe
Gwyach Yddfddu	*Podiceps nigricollis*	Black-necked Grebe *
Gwyach Yddfgoch	*Podiceps grisegena*	Red-knecked Grebe *
Gwybedog	*Muscicapa striata*	Spotted Flycatcher
Gwybedog Brith	*Ficedula hypoleuca*	Pied Flycatcher *
Gwybedog Brongoch	*Ficedula parva*	Red-breasted Flycatcher *
Gwybedog Cefnddu	*Ficedula hypoleuca*	Pied Flycatcher
Gwybedog Du a Gwyn	*Ficedula hypoleuca*	Pied Flycatcher
Gwybedog Frongoch	*Ficedula parva*	Red-breasted Flycatcher
Gwybedog Mannog	*Muscicapa striata*	Spotted Flycatcher *
Gwybedog Torchog	*Ficedula albicollis*	Collared Flycatcher *
Gwybedog y Gwenyn	*Merops apiaster*	Bee-eater *
Gwybedwr Aml-liw	*Ficedula hypoleuca*	Pied Flycatcher
Gwybedwr Brith	*Muscicapa striata*	Spotted Flycatcher
Gwybedwr Mannog	*Muscicapa striata*	Spotted Flycatcher
Gŵydd Bonar	*Anser fabalis*	Bean Goose

Gŵydd Canada	*Branta canadensis*	Canada Goose *
Gŵydd Dalcen Gwyn	*Anser albifrons*	White-fronted Goose
Gŵydd Dalcen Wyn	*Anser albifrons*	White-fronted Goose
Gŵydd Dalcen-wen	*Anser albifrons*	White-fronted Goose *
Gŵydd Dalcenwen Leiaf	*Anser erythropus*	Lesser White-fronted Goose *
Gŵydd Dorchawg	*Branta canadensis*	Canada Goose
Gŵydd Dorchog	*Branta bernicla*	Brent Goose
Gŵydd Droedbinc	*Anser brachyrhynchus*	Pink-footed Goose
Gŵydd Ddu	*Branta bernicla*	Brent Goose *
Gŵydd Frongoch	*Branta ruficollis*	Red-breasted Goose *
Gŵydd Ffa	*Anser fabalis*	Bean Goose
Gŵydd Gwyllt	*Sula bassana*	Gannet
Gŵydd Gwyrain	*Branta leucopsis*	Barnacle Goose
Gŵydd Lygadlan	*Sula bassana*	Gannet
Gŵydd Wendorchog	*Branta bernicla*	Brent Goose
Gŵydd Wyllt	*Anser anser*	Greylag Goose *
Gŵydd Wyllt Ddu	*Branta bernicla*	Brent Goose
Gŵydd Wyllt Gyffredin	*Anser anser*	Greylag Goose
Gŵydd Wyran	*Branta leucopsis*	Barnacle Goose *
Gŵydd y Cynhaeaf	*Anse fabalis*	Bean Goose
Gŵydd y Môr	*Branta leucopsis*	Barnacle Goose
Gŵydd yr Egin	*Anser fabalis*	Bean Goose
Gŵydd y Weilgi	*Sula bassana*	Gannet
Gwyddwalch	*Accipiter gentilis*	Goshawk
Gwylan Benddu	*Larus ridibundus*	Black-headed Gull *
Gwylan Benwen	*Rissa tridactyla*	Kittiwake
Gwylan Dribys	*Rissa tridactyla*	Kittiwake
Gwylan Droed Ddu	*Stercorarius parasiticus*	Arctic Skua
Gwylan Dydd	*Sula bassana*	Gannet
Gwylan Ddu a Gwyn	*Larus marinus*	Great Black-back Gull
Gwylan Fawr	*Sula bassana*	Gannet
Gwylan Fechan	*Larus minutus*	Little Gull *
Gwylan Frech	*Stercorarius pomarinus*	Pomarine Skua
Gwylan Frech yr Arctic	*Stercorariurius parsiticus*	Arctic Skua
Gwylan Gefddu Fawr	*Larus marinus*	Great Black-back Gull
Gwylan Gefnddu Fwyaf	*Larus marinus*	Great Black-back Gull *
Gwylan Gefnddu Leiaf	*Larus fuscus*	Lesser Black-back Gull
Gwylan Gernyw	*Rissa tridactyla*	Kittiwake
Gwylan Goes-goch	*Larus ridibundus*	Black-headed Gull
Gwylan Goesddu	*Rissa tridactyla*	Kittiwake *

Gwylan Gwlad yr Iâ	*Larus glaucoides*	Iceland Gull
Gwylan Gyffredin	*Larus canus*	Common Gull
Gwylan Gynffonhir	*Stercorarius parasiticus*	Arctic Skua
Gwylan Ifori	*Pagophila eburnea*	Ivory Gull *
Gwylan Laswyrdd	*Larus hyperboreus*	Glaucous Gull
Gwylan Lwyd	*Larus argentatus*	Herring Gull
Gwylan Lwyd	*Larus marinus*	Great Black-back Gull
Gwylan Lwyd Ddu	*Stercorarius skua*	Great Skua
Gwylan Manaw	*Puffinus puffinus*	Manx Shearwater
Gwylan Môr y Canoldir	*Larus melanocephalus*	Mediterranean Gull *
Gwylan Pedr	*Hydrobates pelagicus*	Storm Petrel
Gwylan Sabine	*Larus sabini*	Sabine's Gull *
Gwylan Ynys yr Iâ	*Larus glaucoides*	Iceland Gull
Gwylan y Gogledd	*Stercorarius parasiticus*	Arctic Skua
	Larus hyperboreus	Glaucous Gull *
Gwylan y Gweunydd	*Larus canus*	Common Gull *
	Larus ridibundus	Black-headed Gull
Gwylan y Penwaig	*Larus argentatus*	Herring Gull *
Gwylan y Weilgi	*Hydrobates pelagicus*	Storm Petrel
Gwylan yr Arctig	*Larus glaucoides*	Iceland Gull *
Gwylanod Llyn Conwy	*Larus ridibundus*	Black-headed Gull
Gwylanwydd	*Sula bassana*	Gannet
Gwylog	*Uria aalge*	Guillemot *
Gwylog Ddu	*Cepphus grylle*	Black Guillemot*
Gwyran	*Branta leucopsis*	Barnacle Goose
Gwyddfgam	*Jynx torquilla*	Wryneck
Gylfin Groes	*Loxia curvirostra*	Crossbill *
Gylfinbraff	*Coccothraustes*	Hawfinch *
Gylfindew Brongoch	*Pheucticus ludivicianus*	Rose-breasted Grosbeak *
Gylfinhir Bach	*Calidris ferruginea*	Curlew Sandpiper
Gylfinir	*Numenius arquata*	Curlew *
Gylfinir y Cerrig	*Burhinus oedicnemus*	Stone Curlew
Gylfinog	*Numenius arquata*	Curlew
Gyrnad Llwyd	*Acanthis cannabina*	Linnet
Harri-Gwlych-Dy-Big	*Tachybaptus ruficollis*	Little Grebe
Hebog Bitw	*Falco subbuteo*	Hobby
Hebog Chwyldro	*Falco rusticolus*	Gyrfalcon
Hebog Dramor	*Falco peregrinus*	Peregrine
Hebog Glas	*Falco peregrinus*	Peregrine

Hebog Lleiaf	*Falco columbarius*	Merlin
Hebog Llwydlas	*Circus cyaneus*	Hen Harrier
Hebog Llwydwyn	*Accipiter nisus*	Sparrowhawk
Hebog Marthin	*Accipiter gentilis*	Goshawk
Hebog Mirian	*Accipiter gentilis*	Goshawk
Hebog Montagu	*Circus pygargus*	Montagu's Harrier
Hebog Tramor	*Falco peregrinus*	Peregrine *
Hebog Wlanog	*Falco peregrinus*	Peregrine
Hebog y Gogledd	*Falco rusticolus*	Gyrfalcon *
Hebog y Gors	*Circus aeruginosus*	Marsh Harrier
Hebog yr Hedydd	*Falco subbuteo*	Hobby
Hebyg yr Ehedydd	*Falso subbuteo*	Hobby *
Hebog yr Hesg	*Circus aeruginosus*	Marsh Harrier
Hebog y Wern	*Circus aeruginosus*	Marsh Harrier
Hedydd	*Alauda arvensis*	Skylark
Hedydd Bach	*Anthus spinoletta*	Rock Pipit
Hedydd Bach y Cae	*Anthus trivialis*	Tree Pipit
Hedydd Coch	*Anthus spinoletta*	Rock Pipit
Hedydd Esgudogyll	*Lullula arborea*	Woodlark
Hedydd y Coed	*Lullula arborea*	Woodlark
Hedydd y Waun	*Anthus pratensis*	Meadow Pipit
Hedydd yr Helyg	*Acrocephalus schoenobaenus*	Sedge Warbler
Heligog	*Uria aalge*	Guillemot
Heligog Du	*Cephus grylle*	Black Guillemot
Hen Het	*Vanellus vanellus*	Lapwing
Hirgoes	*Himantopus himantopus*	Black-winged Stilt
Hogwr	*Parus major*	Great Tit
Hucan	*Sula bassana*	Gannet
Hudnwy	*Anas platyrhynchos*	Mallard
Hudwalch	*Falco subbuteo*	Hobby
Hugan	*Sula bassana*	Gannet *
Hutan	*Eudromias morinellus*	Dotterel
Hutan Lwyd	*Calidris alba*	Sanderling
Hutan y Dŵr	*Arenaria interpres*	Turnstone
Hutan y Môr	*Charadrius hiaticula*	Ringed Plover
Hutan y Mynydd	*Eudromias morinellus*	Dotterel *
Hutan y Tywod	*Calidris alba*	Sanderling
Hwdfrân	*Corvus corone cornix*	Hooded Crow
Hwrnwr	*Caprimulgus europaeus*	Nightjar
Hwylog	*Uria aalge*	Guillemot
Hwyad Benddu	*Aythya marila*	Scaup

Hwyad Ddanheddog	*Mergus merganser*	Goosander
Hwyad Ddu	*Melanitta nigra*	Common Scoter
Hwyad Gopog	*Aythya fuligula*	Tufted Duck
Hwyad Gynffonfain	*Anas acuta*	Pintail
Hwyad Leiaf	*Anas crecca*	Teal
Hwyad Lwyd	*Anas strepera*	Gadwall
Hwyad Lydanbig	*Anas clypeata*	Shoveler
Hwyad Wydd Ledwen	*Mergus albellus*	Smew
Hwyad Wydd Lwydwen	*Mergus albellus*	Smew
Hwyad Wyllt	*Anas platyrhynchos*	Mallard
Hwyaden Llygadwen	*Aythya nyroca*	Ferruginous Duck *
Hwyaden Addfain	*Anas querquedula*	Garganey *
Hwyaden Bengoch	*Aythya ferina*	Pochard *
Hwyaden Benwen	*Mergus cucullatus*	Hooded Merganser *
Hwyaden Biglydan	*Anas clypeata*	Shoveler
Hwyaden Ddanheddog	*Mergus merganser*	Goosander *
Hwyaden Ddanheddog Fronddu	*Mergus serrator*	Red-breasted Merganser
Hwyaden Ddu	*Melanitta nigra*	Common Scoter
Hwyaden Ddu Felfedog	*Melanitta fusca*	Velvet Scoter
Hwyaden Ddu'r Traethfor	*Melanitta perspicillata*	Surf Scoter
Hwyaden Felfedog	*Melanitta fusca*	Velvet Scoter
Hwyaden Fraith	*Tadorna tadorna*	Shelduck
Hwyaden Frith	*Tadorna tadorna*	Shelduck
Hwyaden Frongoch	*Mergus serrator*	Red-breasted Merganser *
Hwyaden Fwythblu	*Somateria mollissima*	Eider *
Hwyaden Goch yr Eithin	*Tadorna ferruginea*	Ruddy Shelduck *
Hwyaden Goesgoch	*Mergus merganser*	Goosander
Hwyaden Gopog	*Aythya fuligula*	Tufted Duck *
Hwyaden Gopynog	*Aythya fuligula*	Tufted Duck
Hwyaden Gribgoch	*Netta rufina*	Red-crested Pochard *
Hwyaden Gynffon Gwennol	*Clangula hyemalis*	Long-tailed Duck
Hwyaden Gynffonfain	*Anas acuta*	Pintail
Hwyaden Gynffon-hir	*Clangula hyemalis*	Long-tailed Duck *
Hwyaden Lostfain	*Anas acuta*	Pintail *
Hwyaden Lwyd	*Anas strepera*	Gadwall *
Hwyaden Lydanbig	*Anas clypeata*	Shoveler *
Hwyaden Lygad Arian	*Aythya marila*	Scaup
Hwyaden Lygad Aur	*Bucephala clangula*	Goldeneye *

Hwyaden Môr	*Melanitta nigra*	Common Scoter
Hwyaden Wyllt	*Anas platyrhynchos*	Mallard *
Hwyaden yr Eithin	*Tadorna tadorna*	Shelduck *
Hwyadwydd Fronddu	*Mergus serrator*	Red-breasted Merganser
Hwyadwydd Gyffredin	*Mergus meganser*	Goosander
Hwyadwydd Ddanheddog	*Mergus merganser*	Goosander

Iâr Ddŵr	*Gallinula chloropus*	Moorhen *
	Cinclus cinclus	Dipper
Iâr Ddŵr Foel	*Fulica atra*	Coot
Iâr Goch	*Lagopus lagopus*	Red Grouse
Iâr Goed	*Phosianus colchicus*	Pheasant
Iâr Wen y Mynydd	*Lagopus mutus*	Ptarmigan
Iâr y Diffeithwch	*Syrrhaptes paradoxus*	Palla's Sand Grouse
Iâr y Gors	*Fulica atra*	Coot
	Gallinula chloropus	Moorhen
Iâr y Grug	*Lagopus lagopus scoticus*	Red Grouse
Iâr y Gwern	*Otis tarda*	Great Bustard
Iâr y Mynydd	*Lyrusus tetrix*	Black Grouse
Iâr/Ceiliog y Mynydd	*Lagopus lagopus scoticus*	Red Grouse
Iâr y Rhos	*Lagopus lagopus scoticus*	Red Grouse
Iâr y Sofol	*Coturnix coturnix*	Quail
Ichetydd	*Alauda arvensis*	Skylark
Ios	*Luscinia megarhynchos*	Nightingale

Jac Ffa	*Corvus monedula*	Jackdaw
Jac Llwyd y Baw	*Prunella modularis*	Hedgesparrow
Jac-y-do	*Corvus monedula*	Jackdaw *
Ji-binc	*Fringilla coelebs*	Chaffinch *
Jinc-jinc	*Fringilla coelebs*	Chaffinch

Ladyfowl	*Tadorna tadorna*	Shelduck
Larcen	*Alauda arvensis*	Skylark

Llafnes Felen	*Emberiza citrinella*	Yellowhammer
Llamystaen	*Falco columbarius*	Merlin
	Accipiter nisus	Sparrowhawk
Llamysten	*Accipiter nisus*	Sparrowhawk
Llanc Llandudno	*Phalacrocorax*	Cormorant

Lleian Benddu	*Sylvia atricapilla*	Blackcap
Lleian Gynffonhir	*Aegithelos caudatus*	Long-tailed Tit
Lleian Wen	*Mergus albellus*	Smew *
Lleuar Dâr	*Parus caeruleus*	Blue Tit
Llinos	*Acanthis cannabina*	Linnet *
Llinos Benfelen	*Emberiza citrinella*	Yellowhammer
Llinos Bengoch	*Acanthis flammea*	Redpoll *
Llinos Bengoch Leiaf	*Acanthis flammea*	Redpoll
Llinos Bengoch y Gogledd	*Acanthis hornemanni*	Arctic Redpoll *
Llinos Felen	*Carduelis chloris*	Greenfinch
	Emberiza citrinella	Yellowhammer
Llinos Felen Benddu	*Emberiza cirlus*	Cirl Bunting
Llinos Frech	*Serinus serinus*	Serin *
Llinos Frongoch	*Acanthis flammea*	Redpoll
Llinos Fynydd	*Acanthis flavirostris*	Twite
Llinos Goch	*Carpodacus erythrinus*	Common Rosefinch *
Llinos Gwyrdd	*Carduelis chloris*	Greenfinch
Llinos Werdd	*Carduelis chloris*	Greenfinch *
	Carduelis spinus	Siskin
Llinos Werdd y Gegid	*Carduelis chloris*	Greenfinch
Llinos y Mynydd	*Acanthis flavirostris*	Twite
Llinos yr Eira	*Montifringilla nivalis*	Snow Finch *
Lloercen	*Picus viridis*	Green Woodpecker
Llostrudd Du	*Phoenicurus ochruros*	Black Redstart
Llostruddyn	*Phoenicurus phoenicurus*	Redstart
Llostruddyn Du	*Phoenicurus ochruros*	Black Redstart
Llwyaren	*Anas clypeata*	Shoveler
Llwybig	*Platalea leucorodia*	Spoonbill *
Llwyd Bach	*Prunella modularis*	Hedgesparrow
	Acanthis flammea	Redpoll
Llwyd Gyddfwyn	*Pasarella albicollis*	White-throated Sparrow *
Llwyd Persain	*Melospiza melodia*	Song sparrow *
Llwyd y Baw	*Prunella modularis*	Hedgesparrow
	Motacilla alba yarrelli	Pied Wagtail
Llwyd y Berllan	*Sylvia borin*	Garden Warbler
Llwyd y Berth	*Prunella modularis*	Hedgesparrow
Llwyd y Bryn	*Anthus pratensis*	Meadow Pipit
Llwyd y Clawdd	*Prunella modularis*	Hedgesparrow
Llwyd y Danadl	*Sylvia communis*	Whitethroat

Llwyd y Dom	*Prunella modularis*	Hedgesparrow
Llwyd y Gors	*Acrocephalus schoenobaenus*	Sedge Warbler
Llwyd y Gwrych	*Prunella modularis*	Hedgesparrow *
Llwyd y Llymarch	*Haematopus ostralegus*	Oystercatcher
Llwyd y Mynydd	*Prunella collaris*	Alpine Accentor *
Llwyd y To	*Passer domesticus*	Housesparrow
Llwyd y Tywod	*Calidris alpina*	Dunlin
	Calidris alba	Sanderling
Llwyd yr Helyg	*Acrocephalus schoenobaenus*	Sedge Warbler
Llwyd yr Hesg	*Acrocephalus schoenobaenus*	Sedge Warbler
Llwydfron	*Sylvia communis*	Whitethroat *
Llwydfron Fach	*Sylvia curruca*	Lesser Whitethroat *
Llwydfron Lleiaf	*Sylvia curruca*	Lesser Whitethroat
Llurs	*Alca torda*	Razorbill *
Llursen	*Alca torda*	Razorbill
Llydanbig	*Platalea leucorodia*	Spoonbill
Llydandroed Gyddfgoch	*Phalaropus lobatus*	Red-necked Phalarope *
Llydandroed Llwyd	*Phalaropus fulicarius*	Grey Phalarope *
Llydandroed Wilson	*Phalaropus tricolor*	Wilson's Phalarope *
Llygad Aur	*Bucephala clangula*	Goldeneye
Llygad yr Ych	*Calidis alpina*	Dunlin
Llygoden y Derw	*Dendrocopus minor*	Lesser Spotted Woodpecker
	Parus caeruleus	Blue Tit
Llymarchog	*Haematopus ostralegus*	Oystercatcher
Llymarchyn	*Haematopus ostralegus*	Oystercatcher
Llymysten	*Falco columbarius*	Merlin
	Accipiter nisus	Sparrowhawk
Mackerel Cock	*Puffinus puffinus*	Manx Shearwater
Malchoden	*Turdus merula*	Blackbird
Malwr Cnau	*Nucifraga caryocactactes*	Nutcracker *
Marthin	*Delichon urbica*	House Martin
Marthin Du	*Apus apus*	Swift
Marthin Penbwl	*Delichon urbica*	House Martin
Meilierydd	*Alauda arvensis*	Skylark
Melyn yr Eithin	*Emberiza citrinella*	Yellowhammer
Melyngoes Bach	*Tringa flavipes*	Lesser Yellow Legs *
Melyngoes Mawr	*Tringa melonaleuca*	Greater Yellow Legs *
Melynog	*Emberiza citrinella*	Yellowhammer

Merwys	*Turdus merula*	Blackbird
Merwys	*Cinclus cinclus*	Dipper
Mialchan	*Turdus merula*	Blackbird
Mialchen	*Turdus merula*	Blackbird
Milfran	*Corvus corone corone*	Carrion Crow
Môr Eryr	*Pandion haliaetus*	Osprey
Môr Hedydd	*Charadrius hiaticula*	Ringed Plover
Môr-hwyaden Ddu	*Melanitta nigra*	Common Scoter *
Môr-hwyaden y Gogledd	*Melanitta fusca*	Velvet Scoter *
Môr-hwyaden yr Ewyn	*Melanitta perspicillata*	Surf Scoter *
Morfran	*Phalacrocorax carbo*	Cormorant
Morfran Gopog	*Phalacrocorax aristotelis*	Shag
Morfran Werdd	*Phalacrocorax aristotelis*	Shag
Môr-gneifiwr Manaw	*Puffinus puffinus*	Manx Shearwater
Moriah	*Uria aalge*	Guillemot
Morra	*Alca torda*	Razorbill
Morwennol	*Sterna hirundo*	Common Tern
Morwennol Du	*Chlidonias niger*	Black Tern *
Môr Wennol Ddu	*Chlidonias niger*	Black Tern
Morwennol Bigddu	*Sterna sandvicensis*	Sandwich Tern *
Morwennol Fechan	*Sterna albifrons*	Little Tern *
Morwennol Fraith	*Sterna fuscata*	Sooty Tern *
Morwennol Fwyaf	*Hydroprogne tschegrava*	Caspian Tern *
Morwennol Ffrwynol	*Sterna anaethetus*	Bridled Tern *
Morwennol Gyffredin	*Sterna hirundo*	Common Tern *
Morwennol Rosliw	*Sterna dougallii*	Roseate Tern *
Morwennol y Gogledd	*Sterna paradisaea*	Arctic Tern *
Morwennol Wridog	*Sterna dougallii*	Roseate Tern *
Morwennol Ylfinbraff	*Gelochelidon nilotica*	Gull-billed Tern *
Morwn y Neidr	*Emberiza citrinella*	Yellowhammer
Mulfran	*Phalacrocorax carbo*	Cormorant *
Mulfran Fechan	*Phalacrocorax aristotelis*	Shag
Mulfran Gopog	*Phalacrocorax aristotelis*	Shag
Mulfran Leiaf	*Phalacrocorax aristotelis*	Shag
Mulfran Lwyd	*Sula bassana*	Gannet
Mulfran Wen	*Sula bassana*	Gannet
Mulfran Werdd	*Phalacrocorax aristotelis*	Shag *
Mwyalch	*Turdus merula*	Blackbird
Mwyalchen	*Turdus merula*	Blackbird
Mwyalchen Ddŵr	*Cinclus cinclus*	Dipper
Mwyalchen Felen	*Oriolus oriolus*	Golden Oriole

Mwylachen y Dŵr	*Cinclus cinclus*	Dipper
Mwyalchen y Graig	*Turdus torquatus*	Ringed Ouzel
Mwyalchen y Mynydd	*Turdus torquatus*	Ringed Ouzel
Myniar Goesgoch	*Calidris canutus*	Knot
Myniar Fwyaf	*Gallinago media*	Great Snipe
Myniar Leiaf	*Lymnocryptes minimus*	Jack Snipe
Myniar y Traeth	*Calidris canutus*	Knot
Nico	*Carduelis carduelis*	Goldfinch
Nico Bengoch	*Carduelis carduelis*	Goldfinch
Nicol	*Carduelis carduelis*	Goldfinch
Nyddreg	*Locustella naevia*	Grasshopper Warbler
Nyddwr	*Caprimulgus europaeus*	Nightjar
Nyddwr Bach	*Locustella naevia*	Grasshopper Warbler
Paffiwr	*Philomachus pugnax*	Ruff
Pâl	*Fratercula arctiva*	Puffin *
Pâl Du	*Puffinus griseus*	Sooty Shearwater
Pâl Mwyaf	*Puffinus gravis*	Great Shearwater
Palroes	*Pyrrhocorax pyrrhocorax*	Chough
Paun y Coed	*Tetrao urogallus*	Capercaillie
Pedryn Drycin	*Hydrobates pelagicus*	Storm Petrel
Pedryn Drycin Prydeinig	*Hydrobates pelagicus*	Storm Petrel *
Pedryn Llach	*Oceanodroma leucorhoa*	Leach's Petrel
Pedryn y Drycin	*Hydrobates pelagicus*	Storm Petrel
Pedryn yr Ystorm	*Hydrobates pelagicus*	Storm Petrel
Pegi Big Hir	*Numenius arquata*	Curlew
Pegi Windred	*Acrocephalus schoenobaenus*	Sedge Warbler
Pela Glas	*Parus caeruleus*	Blue Tit
Pela Glas Bach	*Parus caeruleus*	Blue Tit
Pela Glas Dwl	*Parus caeruleus*	Blue Tit
Pela Gynffon-hir	*Aegithelos caudatus*	Long-tailed Tit
Pela Mawr	*Parus major*	Great Tit
Pela Penddu	*Parus palustris*	Marsh Tit
Pela'r Gors	*Parus palustris*	Marsh Tit
Pela'r Wern	*Parus palustris*	Marsh Tit
Pen Euryn	*Carduelis carduelis*	Goldfinch
Pen Shidan	*Carduelis carduelis*	Goldfinch
Pen y Llwyn	*Turdus viscivorus*	Mistle Thrush
Penaur	*Emberiza citrinella*	Yellowhammer
Pendew	*Coccothraustes coccothraustes*	Hawfinch

Penddu	*Sylvia atricapilla*	Blackcap
Penddu'r Brwyn	*Sylvia atricapilla*	Blackcap
	Emberiza schoeniclus	Reed Bunting
Penddu'r Bryn	*Emberiza schoeniclus*	Reed Bunting
Penfelyn	*Emberiza citrinella*	Yellowhammer
Pengam	*Jynx torquilla*	Wryneck *
Pengoch	*Acanthis flammea*	Redpoll
Pengwyn Bach	*Plotus alle*	Little Auk
Penlöyn	*Parus major*	Great Tit
	Sylvia atricapilla	Blackcap
Penlöyn Mawr	*Parus major*	Great Tit
Penlöyn Mwyaf	*Parus major*	Great Tit
Penlöyn y Gors	*Parus palustris*	Marsh Tit
	Emberiza schoeniclus	Reed Bunting
Penlöyn y Cyrs	*Parus palustris*	Marsh Tit
Penloyw	*Parus major*	Great Tit
	Parus ater	Coal Tit
Pentris	*Perdix perdix*	Partridge
Pentrishen	*Perdix perdix*	Partridge
Perla	*Parus caeruleus*	Blue Tit
Petris	*Perdix perdix*	Partridge
Petrisen	*Perdix perdix*	Partridge *
Petrisen Goesgoch	*Alectoris rufa*	Red-legged Partridge *
Pia Bach	*Phylloscopus collybita*	Chiffchaff
Pia'r Gwinc	*Fringilla coelebs*	Chaffinch
Pib	*Haematopus ostralegus*	Oystercatcher
Pibganydd y Coed	*Anthus trivialis*	Tree Pipit
Pibganwr y Ddôl	*Anthus pratensis*	Meadow Pipit
Pibganydd y Ddôl	*Anthus pratensis*	Meadow Pipit
Piganydd y Graig	*Anthus spinoletta*	Rock Pipit
Pibydd	*Tringa hypoleucos*	Common Sandpiper
Pibydd Bach	*Calidris minutus*	Little Stint *
Pibydd Bach y Traeth	*Calidris minutus*	Little Stint
Pibydd Baird	*Calidris bairdii*	Baird's Sandpiper *
Pibydd Bronllwyd	*Tryngites subruficollis*	Buff-breasted Sandpiper *
Pibydd Cain	*Calidris melanotos*	Pectoral Sandpiper *
Pibydd Coesgoch	*Tringa totanus*	Redshank
Pibydd Coch Llydandroed	*Phalaropus lobatus*	Red-necked Phalarope
Pibydd Coesgoch Mannog	*Tringa erythropus*	Spotted Redshank *
Pibydd Coeswerdd	*Tringa nebularia*	Greenshank *

Pibydd Coeswyrdd	*Tringa nebularia*	Greenshank
Pibydd Cynffonnir	*Bartramia longicauda*	Upland Sandpiper *
Pibydd Du	*Calidris maritima*	Purple Sandpiper *
Pibydd Glas	*Calidris canutus*	Knot
Pibydd Gwyrdd	*Tringa ochropus*	Green Sandpiper *
	Carduelis spinus	Siskin
Pibydd Gwyrdd y Traeth	*Tringa ochropus*	Green Sandpiper
Pibydd Gyddfgoch Llydandroed	*Phalaropus lobatus*	Red-necked Phalarope
Pibydd Lleiaf	*Calidris minuta*	Little Stint
Pibydd Llwyd	*Calidris pusilla*	Semipalmated Sandpiper *
Pibydd Llwydwyn	*Calidris canutus*	Knot
Pibydd Llydanbig	*Limicola falcinellus*	Broad-billed Sandpiper *
Pibydd Llydandroed Glas	*Phalaropus fulicarius*	Grey Phalarope
Pibydd Llwyd Llydandroed	*Phalaropus fulicarius*	Grey Phalarope
Pibydd Mannog	*Tringa erythropus*	Spotted Redshank
Pibydd Porffor	*Calidris maritima*	Purple Sandpiper
Pibydd Rhuddgoch	*Calidris alpina*	Dunlin
Pibydd Temminck	*Calidris temminckii*	Temminck's Stint *
Pibydd Tinwen	*Calidris fuscicollis*	White-rumped Sandpiper *
Pibydd Torchog	*Philomachus pugnax*	Ruff *
Pibydd y Dorlan	*Tringa hypoleucos*	Common Sandpiper *
Pibydd y Gors	*Tringa stagnatilis*	Marsh Sandpiper
Pibydd y Graean	*Tringa glareola*	Wood Sandpiper *
Pibydd y Mawn	*Calidris alpina*	Dunlin
Pibydd y Mynydd	*Anthus pratensis*	Meadow Pipit
Pibydd yr Aber	*Calidris canutus*	Knot
Pibydd y Graig	*Anthus spinoletta*	Rock Pipit
Pibydd y Traeth	*Tringa hypoleucos*	Common Sandpiper
	Calidris alba	Sanderling
Pibydd y Tywod	*Calidris alba*	Sanderling *
Pibydd y Waun	*Anthus pratensis*	Meadow Pipit
Pibydd y Weirglodd	*Anthus pratensis*	Meadow Pipit
Picoch	*Haematopus ostralegus*	Oystercatcher
Pigyll	*Vanellus vanellus*	Lapwing
Pila Gwyrdd	*Carduelis chloris*	Greenfinch
	Carduelis spinus	Siskin

Pilan	Accipiter nisus	Sparrowhawk
Pinc	Fringilla coelebs	Chaffinch
Pinc y Gogledd	Fringilla montifringilla	Brambling
Pinc y Mynydd	Fringilla montifringilla	Brambling *
Pioden	Pica pica	Magpie *
Pioden Goch	Garrulus glandarius	Jay
Pioden y Coed	Garrulus glandarius	Jay
Pioden y Môr	Haematopus ostralegus	Oystercatcher *
Piogen	Pica pica	Magpie
Piogen y Coed	Garrulus glandarius	Jay
Piogen y Môr	Haematopus ostralegus	Oystercatcher
Piogien	Pica pica	Magpie
Pioten	Pica pica	Magpie
Pipid	Anthus pratensis	Meadow Pipit
Plyfer	Pluvialis squatarola	Grey Plover
Pobliw	Carduelis carduelis	Goldfinch
Poethwy	Alca torda	Razorbill
Powlin Bach	Troglodytes troglodytes	Wren
Pompen	Troglodytes troglodytes	Wren
Potsen	Aria aalge	Guillemot
Pryfetwr Brith	Muscicapa striata	Spotted Flycatcher
Pwd	Aegithelos caudatus	Long-tailed Tit
Pwffingen	Fratercula arctiva	Puffin
Pwffingen Fanaw	Puffinus puffinus	Manx Shearwater
Pwffin	Fratercula arctiva	Puffin
Pwrcytan	Buteo buteo	Buzzard
Pwynt	Fringilla coelebs	Chaffinch
Pysgeryr	Pandion haliaetus	Osprey
Pysgotwr	Alcedo atthis	Kingfisher
Ring y Tir	Crex crex	Corncrake
Robin Goch	Erithacus rubecula	Robin *
Ropin	Erithacus rubecula	Robin
Ropin Bola Coch	Erithacus rubecula	Robin
Rwcsen	Corvus frugilegus	Rook
Ryg a Ryg	Crex crex	Corncrake
Rhawngoch	Phoenicurus phoenicurus	Redstart
	Pyrrhula pyrrhula	Bullfinch
Rhedwr y Moelydd	Burhinus oedicnemus	Stone Curlew
Rhedwr y Twyni	Cursorious cursor	Cream-coloured Courser *

Rhegen Baillon	*Porzana pusilla*	Baillon's Crake *
Rhegen Fach	*Porzana parva*	Little Crake *
Rhegen Fannog	*Porzana porzana*	Spotted Crake
Rhegen Fawnog	*Porzana porzana*	Spotted Crake
Rhegen Fraith	*Porzana porzana*	Spotted Crake *
Rhegen Ryg	*Crex crex*	Corncrake
Rhegen Sora	*Porzana carolina*	Sora Rail *
Rhegen y Dŵr	*Rallus aquaticus*	Water Rail *
Rhegen y Gors	*Porzana porzana*	Spotted Crake
	Rallus aquaticus	Water Rail
Rhegen y Rhych	*Crex crex*	Corncrake
Rhegen y Rhyg	*Crex crex*	Corncrake
Rhegen yr Ych	*Crex crex*	Corncrake
Rhegen yr Ŷd	*Crex crex*	Corncrake *
Rhegen Ysmotiog	*Porzana porzana*	Spotted Crake
Rhegien Rhych	*Crex crex*	Corncrake
Rhegyn y Gwair	*Crex crex*	Corncrake
Rhigyl y Rhych	*Crex crex*	Corncrake
Rhinc	*Coturnix coturnix*	Quail
Rhodor	*Caprimulgus europaeus*	Nightjar
Rhodwr	*Caprimulgus europaeus*	Nightjar
Rholen	*Coracias garrulus*	Roller
Rholydd	*Coracias garrulus*	Roller *
Rhonell Goch	*Phoenicurus phoenicurus*	Redstart
Rhosen Felen	*Emberiza citrinella*	Yellowhammer
Rhostog	*Limosa limosa*	Black-tailed Godwit
Rhostog Coch	*Limosa lapponica*	Bar-tailed Godwit
Rhostog Goch	*Limosa lapponica*	Bar-tailed Godwit
Rhostog Gynffonddu	*Limosa limosa*	Black-tailed Godwit
Rhostog Gynffonfrith	*Limosa lapponica*	Bar-tailed Godwit
Rhostog Rhudd	*Limosa lapponica*	Bar-tailed Godwit
Saer	*Haematopus ostralegus*	Oystercatcher
Safnawg	*Caprimulgus europaeus*	Nightjar
Sbrocsyn	*Passer domesticus*	House Sparrow
Scrachen	*Crex crex*	Corncrake
Screch yr Allt	*Carrulus glandarius*	Jay
Sgilpen	*Apus apus*	Swift
Sgiwen Fawr	*Stercorarius skua*	Great Skua *
Sgiwen Frech	*Stercorarius pomarinus*	Pomarine Skua *
Sgiwen Lostfain	*Stercorarius longicaudus*	Long-tailed Skua *

Sgiwen y Gogledd	*Stercorarius parasiticus*	Arctic Skua *
Sgrad y Coed	*Turdus viscivorus*	Mistle Thrush
	Garrulus glandarius	Jay
Sgrad y Gwair	*Crex crex*	Corncrake
Sgrech	*Sturnus vulgaris*	Starling
	Garrulus glandarius	Jay
Sgrech Wair	*Crex crex*	Corncrake
Sgrech y Coed	*Garrulus glandarius*	Jay
Sgrech y Gwair	*Crex crex*	Corncrake
Sgrech yr Ŷd	*Crex crex*	Corncrake
Sgrechgi	*Turdus viscivorus*	Mistle Thrush
Shani Llwyd y Shetin	*Prunella modularis*	Hedge Sparrow
Shibigw	*Aegithelos caudatus*	Long-tailed Tit
Shigwti	*Motacilla alba yarrelli*	Pied Wagtail
Shigwti Felan	*Motacilla flava*	Yellow Wagtail
Shigwti Lwyd	*Motacilla cinerea*	Grey Wagtail
Shini Benlas	*Parus caeruleus*	Blue Tit
Shoni Cap Shitan	*Parus caeruleus*	Blue Tit
Siân Fach yr Helyg	*Phylloscopus trochilus*	Willow Warbler
Siân Fach yr Hesg	*Phylloscopus trochilus*	Willow Warbler
Siani Lwyd	*Prunella modularis*	Hedge Sparrow
Sidan Gynffon	*Bombycilla garrulus*	Waxwing
Siencyn Cywarch	*Carduelis chloris*	Greenfinch
Siff-saff	*Phylloscopus collybita*	Chiffchaff *
Sigl Din Felen	*Montacilla flava*	Yellow Wagtail
Sigldin Lwyd	*Motacilla cinerea*	Grey Wagtail
Siglen Felen	*Montacilla flava*	Yellow Wagtail
Siglen Fraith	*Motacilla alba yarrelli*	Pied Wagtail *
Siglen Las	*Motacilla cinerea*	Grey Wagtail
Siglen Lwyd	*Motacilla cinerea*	Grey Wagtail
Siglen Wen	*Montacilla alba*	White Wagtail *
Sigl-i-gwt	*Motacilla alba*	Pied Wagtail
	Motacilla alba	White Wagtail
Sigldin y Gŵys	*Motacilla alba yarrelli*	Pied Wagtail
Siglen	*Motacilla alba yarrelli*	Pied Wagtail
Sigligwt	*Motacilla alba yarrelli*	Pied Wagtail
Sigwti Fach y Dŵr	*Motacilla alba yarrelli*	Pied Wagtail
Sneipen	*Gallinago gallinago*	Snipe
Snipen	*Gallinago gallinago*	Snipe
Socan Eira	*Turdus pilaris*	Fieldfare *
Socan Lwyd	*Turdus pilaris*	Fieldfare

Socen Lwyd	*Turdus pilaris*	Fieldfare
Socas Lwyd	*Turdus pilaris*	Fieldfare
Sodlas Fach	*Parus caeruleus*	Blue Tit
Sofliar	*Coturnix coturnix*	Quail *
Soflwydd	*Anser anser*	Greylag Goose
	Anser fabalis •	Bean Goose
Sofoliar	*Coturnix coturnix*	Quail
Sogen Lwyd	*Turdus pilaris*	Fieldfare
Sogen yr Eira	*Turdus iliacus*	Redwing
Sogiar	*Turdus pilaris*	Fieldfare
Soldiwr Bach y Werddon	*Carduelis carduelis*	Goldfinch
Sneipen Fach	*Lymnocryptes minimus*	Jack Snipe
Snid Fwyaf	*Gallinago media*	Great Snipe
Snipen Fach	*Lymnocryptes minimus*	Jack Snipe
Snipen yr Haf	*Tringa hypoleucos*	Common Sandpiper
Snosen Felen	*Embeiza citrinella*	Yellowhammer
Spinc	*Fringilla coelebs*	Chaffinch
Sprocsyn y Baw	*Passer domesticus*	House Sparrow
Strew	*Passer domesticus*	House Sparrow
Sweety Waun	*Anthus pratensis*	Meadow Pipit
Switi'r Waun	*Anthus pratensis*	Meadow Pipit
Tabwrdd y Baw	*Botaurus stellaris*	Bittern
Tarad y Coed	*Picus viridis*	Green Woodpecker
Taradr y Coed	*Picus viridis*	Green Woodpecker
Taradr y Coed	*Dendrocopos major*	Great Spotted Woodpecker
Teiliwr Llundain	*Carduelis carduelis*	Goldfinch
	Locustella naevia	Grasshopper Warbler
Telor Aelfelen	*Phylloscopus inornatus*	Yellow-browed Warbler *
Telor Aur	*Hippolais icterina*	Icterine Warbler *
Telor Bach Penddu	*Sylvia atricapilla*	Blackcap
Telor Bonelli	*Phylloscopus bonelli*	Bonelli's Warbler *
Telor Brongoch	*Sylvia cantillans*	Subalpine Warbler *
Telor Cetti	*Cettis cetti*	Cetti's Warbler *
Telor Dartford	*Sylvia undata*	Dartford Warbler *
Telor Goesddu'r Helyg	*Phylloscopus collybita*	Chiffchaff
Telor Gwyrdd	*Phylloscopus trochiloides*	Greenish Warbler *
Telor Llwyd	*Hippolais pallida*	Olivaceous Warbler *
Telor Llygatgoch	*Vireo olivaceus*	Red-eyed Vireo *

Telor Mawr y Cyrs	Acrocephalus arundinaceus	Great Reed Warbler *
Telor Melyn	Dendroica petechia	Yellow Warbler
Telor Pallas	Phylloscopus proregulus	Palla's Warbler *
Telor Pen Du	Sylvia atricapilla	Blackcap
Telor Penddu	Sylvia atricapilla	Blackcap *
Telor Pêr	Hippolais polyglotta	Melodious Warbler *
Telor Radde	Phylloscopus schwarzi	Radde's Warbler *
Telor Rhesog	Sylvia nisoria	Barred Warbler *
Telor Savi	Locustella luscinioides	Savi's Warbler
Telor Tinwen	Dendroica striata	Barred Warbler *
Telor y Berllan	Sylvia borin	Garden Warbler
Telor y Coed	Phylloscopus sibilatrix	Wood Warbler *
Telor y Dŵr	Acrocephalus paludicola	Aquatic Warbler *
	Acrocephalus schoenobaenus	Sedge Warbler
Telor y Gors	Acrocephalus palustris	Marsh Warbler
Telor y Gwair	Locustella naevia	Grasshopper Warbler
Telor y Gwern	Acrocephalus palustris	Marsh Warbler
Telor yr Afon	Locustella fluviatilis	River Warbler *
Telor yr Arctig	Phylloscopus borealis	Arctic Warbler
Telor yr Ardd	Sylvia borin	Garden Warbler *
Telor yr Helyg	Phylloscopus trochilus	Willow Warbler *
Telor yr Hesg	Acrocephalus schoenobaenus	Sedge Warbler *
Telorydd y Waun	Anthus pratensis	Meadow Pipit
Telsan	Anas crecca	Teal
Tilsen	Anas crecca	Teal
Tinboeth	Phoenicurus phoenicurus	Redstart
Tinboeth Du	Phoenicurus ochruros	Black Redstart
Tindroed	Tachybaptus ruficollis	Little Grebe
Tindroed Fach	Tachybaptus ruficollis	Little Grebe
Tingoch	Phoenicurus phoenicurus	Redstart *
Tingoch Du	Phoenicurus ochruros	Black Redstart *
Tinsigl	Motacilla alba yarrelli	Pied Wagtail
Tinsigl Brith	Motacilla alba yarrelli	Pied Wagtail
Tinsigl Felen	Motacilla flava	Yellow Wagtail
Tinsigl Lwyd	Motacilla cinerea	Grey Wagtail
Tinsigl Wen	Montacilla alba	White Wagtail
Tinsigl y Gwys	Montacilla alba	White Wagtail
Tintroed Fach	Tachybaptus ruficollis	Little Grebe
Tinwen Glustiog Du	Oenanthe hispanica	Black-eared Wheatear *
Tinwen Fraith	Oenanthe pleschanka	Pied Wheatear *
Tinwen y Cerrig	Oenanthe oenanthe	Wheatear

Tinwen y Garn	*Oenanthe oenanthe*	Wheatear *
Tinwen y Garreg	*Saxicola torquata*	Stonechat
	Oenanthe oenanthe	Wheatear
Tinwyn	*Oenanthe oenanthe*	Wheatear
Tinwyn Târ	*Oenanthe oenanthe*	Wheatear
Tinwyn y Garn	*Oenanthe oenanthe*	Wheatear
Tinwyn y Garreg	*Saxicola torquata*	Stonechat
Tinwyn y Graig	*Oenanthe oenanthe*	Wheatear
Titw Barfog	*Panurus biarmicus*	Bearded Tit *
Titw Copog	*Parus cristatus*	Crested Tit *
Titw Cynffon-hir	*Aegithelos caudatus*	Long-tailed Tit
Titw Penddu	*Parus ater*	Coal Tit
Titw Du	*Parus ater*	Coal Tit
Titw Mawr	*Parus major*	Great Tit *
Titw Mwyaf	*Parus major*	Great Tit
Titw Tomos Las	*Parus caeruleus*	Blue Tit *
Titw'r Alban	*Parus cristatus*	Crested Tit
Titw'r Gors	*Parus palustris*	Marsh Tit
Titw'r Helyg	*Parus montanus*	Willow Tit *
Titw'r Wern	*Parus palustris*	Marsh Tit *
Tlws y Berth	*Carduelis chloris*	Greenfinch
Tresglen	*Turdus viscivorus*	Mistle Thrush
Tresglen Goch	*Turdus iliacus*	Redwing
Tresglen Lwyd	*Turdus viscivorus*	Mistle Thrush
Tresglen y Dŵr	*Cinclus cinclus*	Dipper
Tridwns	*Sturnus vulgaris*	Starling
Trochwr	*Cinclus cinclus*	Dipper
Trochydd Bach	*Gavia arctica*	Black-throated Diver
Trochydd Brith Gwddwgoch	*Gavia stellata*	Red-throated Diver
Trochydd Danheddog	*Mergus serrator*	Red-breasted Merganser
Trochydd Gwddfgoch	*Gavia stellata*	Red-throated Diver
Trochydd Gyddfddu	*Gavia arctica*	Black-throated Diver *
Trochydd Mawr	*Gavia immer*	Great Northern Diver *
Trochydd Gyddfgoch	*Gavia stellata*	Red-throated Diver *
Trochydd Penwyn	*Mergus albellus*	Smew
Troedgoch	*Tringa totanus*	Redshank
Troetgoch	*Tringa totanus*	Redshank
Troellwr	*Caprimulgus europaeus*	Nightjar
Troellwr Bach	*Locustella naevia*	Grasshopper Warbler *

Troellwr Mawr	*Caprimulgus europaeus*	Nightjar *
Troellwr Safnawg	*Caprimulgus europaeus*	Nightjar
Trwdws	*Sturnus vulgaris*	Starling
Turtur	*Streptopelia turtur*	Turtle Dove *
Turtur Dorchog	*Streptopelia decaocto*	Collared Dove *
Twinc	*Fringilla coelebs*	Chaffinch
Twm Cap Du	*Sylvia atricapilla*	Blackcap
Twm Cwinc	*Pyrrhula pyrrhula*	Bullfinch
Twm Penddu	*Sylvia atricapilla*	Blackcap
Twm Pib	*Haematopus ostralegus*	Oystercatcher
Twn Tinc	*Fringilla coelebs*	Chaffinch
Twrci'r Gwern	*Otis tarda*	Great Bustard
Tylluan Fach	*Athene noctua*	Little Owl *
Tylluan Frech	*Strix aluco*	Tawny Owl *
Tylluan Glustiog	*Asio flammeus*	Short-eared Owl *
Tylluan Gorniog	*Asio otus*	Long-eared Owl *
Tylluan Wen	*Tyto alba*	Barn Owl *
Tylluan Scops	*Otus scops*	Scops Owl *
Tylluan Ysgubor	*Tyto alba*	Barn Owl
Tyllwr y Coed	*Picus viridis*	Green Woodpecker
	Dendrocopos major	Greater-spotted Woodpecker
Tylluan y Coed	*Strix aluco*	Tawny Owl
Tylluan yr Eira	*Nyctea scandiaca*	Snow Owl *
Tyrciar y Gwern	*Otis tarda*	Great Bustard
Tywidw	*Parus caeruleus*	Blue Tit
Uchedydd	*Alauda arvensis*	Skylark
Watryswn	*Haematopus ostrolegus*	Oystercatcher
Wennol y Tai	*Delichon urbica*	House Martin
Whibanwr	*Numenius arquata*	Curlew
Wialchen	*Turdus merula*	Blackbird
Wid Wid	*Anthus spinoletta*	Rock Pipit
Wil Cap Du	*Saxicola torquata*	Stonechat
Wil Nyddwr	*Caprimulgus europaeus*	Nightjar
Wil y Dŵr	*Cinclus cinclus*	Dipper
Wil y Wawch	*Podiceps cristatus*	Great-crested Grebe
Wil Wal Waliog	*Phalacrocorax carbo*	Cormorant
Winc	*Fringilla coelebs*	Chaffinch

Wiwell	*Anas penelope*	Wigeon
Wstryswr	*Haemotopus ostralegus*	Oystercatcher
Wyalchen	*Turdus merula*	Blackbird
Wystryswr	*Haemotopus ostrolegus*	Oystercatcher
Y Barfog	*Panurus biarmicus*	Bearded Tit
Y Bi	*Pica pica*	Magpie
Y Bi Bach	*Phylloscopus collybita*	Chiffchaff
Y Biwita	*Apus apus*	Swift
Y Benfelen	*Emberiza citrinella*	Yellowhammer
Y Big Mynawyd	*Recurvirostra avosetta*	Avocet
Y Binc	*Fringilla coelebs*	Chaffinch
Y Bluen Aur	*Pluvialis apricaria*	Golden Plover
Y Boda	*Buteo buteo*	Buzzard
Y Cnut	*Calidris canutus*	Knot
Y Crychydd Glas	*Ardea cinerea*	Grey Heron
Y Dinboeth	*Phoenicurus phoenicurus*	Redstart
Y Dresglen Fwyaf	*Turdus viscivorus*	Mistle Thrush
Y Dresglen Goch	*Turdus iliacus*	Redwing
Y Dringwr	*Certhia familiaris*	Tree Creeper
Y Dylluan Fawr	*Bubo bubo*	Eagle Owl *
Y Ddurtur	*Streptopella turtur*	Turtle Dove
Y Forwennol Fwyaf	*Sterna hirundo*	Common Tern
Y Folwen	*Apus apus*	Swift
Y Frân	*Corvus frugilegus*	Rook
Y Fronfraith	*Turdus philomelos*	Song Thrush
Y Fronfraith Fach	*Prunella modularis*	Hedgesparrow
Y Fronwen	*Sylvia communis*	Whitethroat
Y Fronwen Leiaf	*Sylvia carruca*	Lesser Whitethroat
Y Fyniar	*Gallinago gallinago*	Snipe
Y Ffigysog	*Sylvia borin*	Garden Warbler
Y Gan	*Sula bassana*	Gannet
Y Garran Lwyd	*Ardea cinerea*	Grey Heron
Y Gefnlwyd	*Turdus pilaris*	Fieldfare
Y Gegid	*Carduelis chloris*	Greenfinch
Y Genlli Goch	*Falco tinnunculus*	Kestrel
Y Gigfran Fach	*Corvus corone*	Carrion Crow
Y Gigfran Fawr	*Corvus corax*	Raven
Y Goeg Chwibanogl	*Numenius phaeopus*	Whimbrel
Y Goesgoch	*Ringa totanus*	Redshank
Y Gog	*Cuculus canorus*	Cuckoo

Y Gorshwyad Lwyd	*Anas strepera*	Gadwall
Y Gylfinhir	*Numenius arquata*	Curlew
Y Gynffonwen	*Oenanthe oenanthe*	Wheatear
Y Lleian	*Parus caeruleus*	Blue Tit
Y Merwys	*Turdus torquatus*	Ring Ouzel
Y Penloyn Cynffonhir	*Aegithelos caudatus*	Long-tailed Tit
Y Pibydd Gwyrdd	*Tringa ochropus*	Green Sandpiper
Y Pysgotwr Glas	*Alcedo atthis*	Kingfisher
Y Rholydd	*Coracias garrulus*	Roller
Y Trochydd Brongoch	*Mergus serrator*	Red-breasted Merganser
Y Wennol	*Hirundo rustica*	Swallow
Y Wennol Ddu Fawr	*Apus apus*	Swift
Y Witw Fach	*Parus caeruleus*	Blue Tit
Ydfran	*Corvus frugilegus*	Rook *
Ymlusgydd	*Certhia familiaris*	Tree Creeper
Yr Aderyn Ymladdgar	*Philomachus pugnax*	Ruff
Yr Anhywel	*Locustella naevia*	Grasshopper Warbler
Yr Araf Ehedydd	*Otis tarda*	Great Bustard
Yr Aran	*Grus grus*	Crane
Yr Enid	*Lullula arborea*	Woodlark
Yr Eos	*Luscinia megarhynchos*	Nightingale
Yr Helygddryw Leiaf	*Phyloscopus collybita*	Chiffchaff
Yr Hobi Goch	*Erithacus rubecula*	Robin
Yr Hutan	*Eudromias morinellus*	Dotterel
Yr Hwyedig	*Falco subbuteo*	Hobby
Yr Wylan Fechan	*Chlidonias niger*	Black Tern
Yr Wylan Gyffredin	*Larus canus*	Common Gull
Yr Wylan Leiaf	*Larus minutus*	Little Gull
Yr Ymladdgar	*Philomachus pugnax*	Ruff
Yr Ymladdwr	*Philomachus pugnax*	Ruff
Ysgidogyll	*Carduelis spinus*	Siskin
Ysgiwen Fawr	*Stercorarius skua*	Great Skua
Ysgiwen Gynffondro	*Stercorarius pomarinus*	Pomarine Skua
Ysgiwen Gynffon Hir	*Stercorarius longicaudus*	Long-tailed Skua *
Ysgiwen y Gogledd	*Stercorarius parasiticus*	Arctic Skua
Ysgraell Ddu	*Chlidonias niger*	Black Tern
Ysgraell y Gogledd	*Sterna hirundo*	Common Tern
Ysgraen	*Sterna hirundo*	Common Tern
Ysgraen Ddu	*Chlidonias niger*	Black Tern
Ysgras	*Emberiza citrinella*	Yellowhammer

Ysgrech Goed	*Garrulus glandarius*	Jay
Ysgrechen	*Sterna hirundo*	Common Tern
Ysgrechog	*Carrulus glandarius*	Jay
Ysguthan	*Columba palumbus*	Woodpigeon *
Ysguthan y Ceubren	*Columba oenas*	Stock Dove
Ysguthan y Graig	*Columba livia*	Rock Dove
Ysguthell	*Columba oenas*	Stock Dove
Ysnid	*Gallinago media*	Great Snipe
Ysniden	*Gallinago gallinago*	Snipe
Ysniten Fach	*Lymnocryptes minimus*	Jack Snipe
Ysniten Leiaf	*Lymnocryptes minimus*	Jack Snipe
Ysniten	*Lymnocryptes minimus*	Jack Snipe
	Gallinago gallinago	Snipe
Yswedw	*Aegithelos caudatus*	Long-tailed Tit
Yswelw	*Aegithelos caudatus*	Long-tailed Tit
Yswidw Copog	*Parus cristatus*	Crested Tit
Yswidw Fawr	*Tarus major*	Great Tit
Yswidw Glas	*Parus caeruleus*	Blue Tit
Yswidw Hir-ei-gwt	*Aegithelos caudatus*	Long-tailed Tit
Yswidw Las Fach	*Parus caeruleus*	Blue Tit
Yswidw Lwyd	*Parus palustris*	Marsh Tit
Yswidw Lwyd Fach	*Parus palustris*	Marsh Tit
Yswidw'r Coed	*Parus major*	Great Tit
Yswidw'r Gors	*Parus palustris*	Marsh Tit
Yswidw'r Gwern	*Parus palustris*	Marsh Tit
Yswidw'r Helyg	*Parus montanus*	Willow Tit
Yswigw	*Regulus regulus*	Goldcrest
Yswigw	*Parus major*	Great Tit
Yswigw	*Parus caeruleus*	Blue Tit
Yswigw Du	*Parus ater*	Coal Tit
Yswigw Glas	*Parus caeruleus*	Blue Tit
Yswigw Gynffon-hir	*Aegithelos caudatus*	Long-tailed Tit
Yswigw Hirgwt	*Aegithelos caudatus*	Long-tailed Tit
Yswigw Las Fach	*Parus caeruleus*	Blue Tit
Yswigw'r Coed	*Parus major*	Great Tit
Yswigw'r Wern	*Parus palustris*	Marsh Tit

Enwau Adar-Saesneg/Lladin/Cymraeg

Gydag amrywiadau tafodieithol Cymraeg yn cynnwys yr ardaloedd lle y cofnodwyd yr enw.

Enwau cyffredinol ar adar.

Adan, Adarn (Maldwyn), Atarn (De Cymru), Dicws (Porthmadog), Derots (Cwm Tawe), Dyrnod (Gwynedd)

Alpine Accentor   *Prunella collaris*   Llwyd y Mynydd
CANTOR YR ALPAU

Alpine Swift   *Apus melba*   Gwennol Ddu'r Alpau
GWENNOL FUAN YR ALPAU, GWRACH YR ALPAU (Sir Fôn)

American Bittern   *Botaurus lentiginosus*   Aderyn-bwn America

American Golden Plover   *Pluvialis dominica*   Corgwtiad Aur

American Wigeon   *Anas americana*   Chwiwell America

Aquatic Warbler   *Acrocephalus paludicola*   Telor y Dŵr

Arctic Redpoll   *Carduelis hornemanni*   Llinos Bengoch y Gogledd

Arctic Skua   *Stercorarius parasiticus*   Sgiwen y Gogledd
GWYLAN FRECH YR ARCTIC, YSGIWEN Y GOGLEDD, GWYLAN Y GOGLEDD [Gweler **Glaucous Gull**], GWYLAN GYNFFON HIR, GWYLAN DROED DDU, BARCUTAN Y MÔR, GWYLAN LLWYD-DDU

Arctic Tern   *Sterna paradisaea*   Morwennol y Gogledd
YSGRAELL Y GOGLEDD, YSGRAEN, GWYLAN YSGAFN, MORWENNOL FAWR

Arctic Warbler   *Phylloscopus borealis*   Telor yr Arctig

Avocet   *Recurvirostra avosetta*   Cambig
Y BIG MYNAWYD

Baillon's Crake   *Porzana pusilla*   Rhegen Baillon

Baird's Sandpiper   *Calidris bairdii*   Pibydd Baird

Barn Owl   *Tyto alba*   Tylluan Wen
ADERYN CORFF [gw.**Tawny Owl**], TYLLUAN YSGUBOR (Llandysul), GWDIHŴ, ADERYN Y CYRFFYW [Saesneg. Curfew], EOS SIR GÂR [Llên Gwerin], GWDIHŴ WEN

Barnacle Goose   *Branta leucopsis*   Gŵydd Wyran
GŴYDD GWYRAIN, GŴYDD Y MÔR, ELCYSEN, GWYRAN

Barred Warbler   *Sylvia nisoria*   Telor Rhesog

Bar-tailed Godwit   *Limosa lapponica*   Rhostog Gynffonfrith
RHOSTOG GOCH [lliw yn ystod yr haf], GIACH PENGAFR, CYFFYLOG Y
MÔR, RHOSTOG RHUDD, RHOSTOG GOCH

Bean Goose   *Anser fabalis*   Gŵydd y Llafur
GŴYDD FFA, SOFLWYDD [Gweler **Greylag Goose**], GŴYDD Y CYNHAEAF,
GŴYDD YR EGIN, GŴYDD BONAR, GŴYDD MIS MEDI, GŴYDD
WYLLT(Llandysul) [Gweler **Greylag Goose**]

Bearded Tit   *Panurus biarmicus*   Titw Barfog
Y BARFOG, PELA BARFOG, BARFOG Y CAWN

Bee-eater   *Merops apiaster*   Gwybedog y Gwenyn
ADERYN Y GWENYN, GWENYNYSWR

Bewick Swan   *Cygnus columbianus bewickii* Alarch Bewick
ALARCH FEWIG

Bittern   *Botaurus stellaris*   Aderyn y Bwn
BWM Y GORS [cyfeiriad at y sŵn a wneir gan yr aderyn adeg nythu], BWMP Y
GORS, BUDDAI, TABWRDD Y BAW, BUDDAIR, CRËYR BRYCH

Black Grouse   *Tetrao tetrix*   Grugiar Ddu
IÂR DDU'R MYNYDD, CEILIOG DDU, CEILIOG Y MYNYDD, CEILIOG Y RHOS, IÂR Y
MYNYDD, IÂR FRAITH, IÂR Y RHOS, CEILIOG DU'R MYNYDD, CEILIOG AELGOCH
(Sir Fôn)

Black Guillemot   *Cepphus grylle*   Gwylog Ddu
HELIGOG DU, CHWILOG DU, GWILYM DU, GWYLAWG DDU

Black Kite   *Milvus migrans*   Barcud Du

Black Lark   *Melanocorypha yeltoniensis* Ehedydd Du

Black Redstart   *Phoenicurus ochruros*   Tingoch Du
LLOSTRUDD DU, TINBOETH DU, LLOSTRHUDDYN DU, CYNFFONGOCH
DU

Black Stork   *Ciconia nigra*   Ciconia Du

Black Tern   *Chlidonias niger*   Corswennol Ddu
YSGRAELL DDU, MÔR WENNOL DDU, YSGRAEN DDU, YR WYLAN
FECHAN [gweler **Little Gull**], YSGRAEN DDULWYD

Blackbird *Turdus merula* Mwyalchen
ADERYN DU, PIGFELEN, MERWYS [bardd gweler hefyd **Ring Ouzel** a **Dipper**],
MWYALCH, ADERYN DU PIG FELEN, GWNALCHEN, GWYALCHEN,
GIALCHEN (Caernarfon), WIALCHEN, WYALCHEN, GWIALCHEN, ATAR
DION, MIALCHEN, DERYN DU, MIALCHAN, MALCHODEN, ATARN DUON
(Hirwaun)

Blackburnian Warbler *Dendroica fusca* Telor Blackburn

Blackcap *Sylvia atricapilla* Telor Penddu
PENDDU, TELOR BACH PENDDU, PENLOYN [Gweler **Blue Tit** a **Great Tit**],
LLEIAN BENDDU, TELOR PEN-DU, TWM PENDDU, PENDDU'R BRWYN
[gweler **Reed Bunting**], BARNWR Y BERTH, CRIC Y BERTH, TWM CAP DU,
CAP DU, BESI BENDDU ,SMOCELL GRESGIN, SMOCALL (Bangor), Y
BENLOYN (Llandysul), WIL CAPAN DU [Gweler **Stonechat**]

Blackpoll Warbler *Dendroica striata* Telor Tinwen

Black-billed Cuckoo *Coccyzus erythropthalmus* Cog Bigddu

Black-eared Wheatear *Oenanthe hispanica* Tinwen Glustiog Du

Black-headed Bunting *Emberiza melanocephala* Bras Penddu
HEDDYR BACH, GWAS Y GOG, PEN DU'R BRWYN, GOLFAN Y GORS

Black-headed Gull *Larus ridibundus* Gwylan Benddu
GWYLAN Y GWEUNYDD [gweler **Common Gull**], GWYLANOD LLYN
CONWY, GWYLAN GOES GOCH, BRÂN Y MÔR, GWYLAN BENLLWYD,
GWYLAN GIOVANNI (Clydach, Cwm Tawe), GWYLAN Â CHOPA DU
(Llandysul)

Black-necked Grebe *Podiceps nigricollis* Gwyach Yddfddu
GWYACH GLUSTIOG [Gweler **Slavonian Grebe**]

Black-tailed Godwit *Limosa limosa* Rhostog Gynffonddu
CWTYN DU, RHOSTOG

Black-throated Diver *Gavia arctica* Trochydd Gyddfddu
TROCHYDD BACH, YMSUDDWR GWDDFDDU (Sir Fôn)

Black-throated Thrush *Turdus ruficollis atrogularis* Bronfraith Yddfddu
TRESGLEN FRONDDU

Black-winged Pratincole *Glareola normanni* Cwtiadwennol Aden-ddu

Black-winged Stilt *Himantopus himantopus* Hirgoes
CWTYN HIRGOES, CWTYN HIRGOES ADEINDDU, CWYNYDD HIR GOES
(Sir Fôn)

Black and White Warbler *Mniotilta varia*   Telor Brith

Blue Rock Thrush   *Monticola solitarius*   Bronfraith Glas y Graig

Blue Tit   *Parus caeruleus*   Titw Tomos Las
GLAS Y PARED, GLAS BACH Y WAL, PELA GLAS, PELA GLAS BACH, PERLA, GLAS DWL, YSWIDW LAS FACH, GWAS Y DRYW [Gweler **Long-tailed Tit**], YSWIGW, GLASLYN BACH Y PARED, PELA GLAS DWL, CAP Y LLEIAN, YSWIGW GLAS, Y LLEIAN [Gweler **Great Tit**], GLAS BACH, LLYGODEN Y DERW, YSWIGW LAS FACH, YSWIDW GLAS, SYWIDW, PENLOYN [Gweler **Great Tit** a **Blackcap**], SHINI BENLAS, SHONI CAP SHITAN, Y WITW FACH, TYWIDW, LLEUAR DÂR, SODLAS FACH (Ceredigion), TWM CAP GLAS (Merthyr), SWIGW (Morgannwg), YSWIDW (Morgannwg), SWIDW, SWIDW LAS FACH

Bluethroat   *Luscinia svecica*   Bronlas
TRESGLEN FRONLAS, TRESGLEN FRONLAS Y GOGLEDD (Sir Fôn)

Blue-winged Teal   *Anas discors*   Corhwyaden Asgell-las

Bobolink   *Dolichonyx oryzivorus*   Bobolinc

Bonelli's Warbler   *Phylloscopus bonelli*   Telor Bonelli

Boneparte's Gull   *Larus Philadelphia*   Gwylan Boneparte

Booted Warbler   *Hippolais caligata*   Telor Bacsiog

Brambling   *Fringilla montifringilla*   Pinc y Mynydd
BRONRHUDDYN Y MYNYDD, PINC Y GOGLEDD, GWINC [Gweler **Chaffinch**], BRONRHUDD Y MYNYDD

Brent Goose   *Branta bernicla*   Gŵydd Ddu
GŴYDD WENDORCH, GŴYDD DORCHWEN, GŴYDD WYLLT DDU, GŴYDD FANYW, GŴYDD BARDDU (Sir Fôn), GWYRAN FENYW

Bridled Tern   *Sterna anaethetus*   Morwennol Ffrwynog

Broad-billed Sandpiper *Limicola falcinellus*   Pibydd Llydanbig
PIBYDD BIGLYDAN

Buff-breasted Sandpiper *Tryngites subruficollis*   Pibydd Bronllwyd

Bullfinch   *Pyrrhula pyrrhula*   Coch y Berllan
ADERYN PENSIDAN, CHWIBANYDD, ADERYN Y BERLLAN, BWLFFIN (Bangor), RHAWNGOCH [Gweler **Redstart**], TWM CWINC (Morgannwg), ADERYN RHONGOCH, ADERYN RHAWNGOCH, GWAS Y SIRI [Gweler **Goldfinch**], ADERYN COCH, ADERYN RHOWN GOCH (Llandysul), COCH Y GORS (Nantgarw)

Buzzard *Buteo buteo* Bwncath
BODA, BONCATH, BODA LLWYD, BARCUD [gweler **Red Kite**], BARCUTAN [Gweler **Red Kite**], Y BODA, BOD [Gweler **Red Kite**], BOD TEIRCAILL, BODA CYFFREDIN, PWRCYRTAN, BWNCATH Y WERN [gweler **Marsh Harrier**] (Llandysul)

Canada Goose *Branta canadensis* Gŵydd Canada
GŴYDD DORCHAWG

Capercaillie *Tetrao urogallus* Ceiliog y Coed
CEILIOG MAWR, PAUN Y COED

Carrion Crow *Corvus corone* Brân Dyddyn
BRÂN SYDDYN [isyddyn = tyddyn cymharer Saesneg Cottage Crow], BRÂN FAWR, MILFRAN, Y GIGFRAN FACH, BREUAN, BRENAN, CIGFRAN LEIAF, BRÂN BIGDDU (Sir Benfro), BRÂN TIR (Morgannwg), ABWYDFRAN, BRAENAN (Maldwyn), BRÂN FURGYN, BRÂN DOM

Caspian Tern *Sterna caspia* Morwennol Fwyaf
MORWENNOL Y CASPIA

Cattle Egret *Bubulcus ibis* Crëyr y Gwartheg

Cetti's Warbler *Cettia cetti* Telor Cetti

Chaffinch *Fringilla coelebs* Ji-binc
ASGELL FRAITH, ASGELL ARIAN, PIA'R GWINC, JIN-JIN, PWYNT (Bangor), BINC-BINC, BRIG Y COED, GWINC [Gweler **Brambling**], Y BINC, ASGELL DOGELL, PINC (Merthyr), WINC, SPINC, TWINC, PYRDINC (Llangennech), BRONRHYDDYN, SPINGC, BRITH-I-ASGELL (Dinbych), BILI BINC (Nantgarw), TWM JINC, BRITH I ADEN (Maldwyn), BREITHIADEN, Y BENLOYN FWYAF (Llandysul), ASGALL ARIAN (Sir Fôn), TWM TINC (Morgannwg)

Chiffchaff *Phylloscopus collybita* Siff-saff
PIA BACH, ADERYN MELYN BACH, Y BI BACH, TELOR GOESDDU'R HELYG, DRYW FELEN [gweler **Willow Warbler** a **Wood Warbler**], YR HELYG DDRYW LEIAF, LLIFIWR [gweler **Great Tit**], TELOR BACH YR HELYG

Chough *Pyrrhocorax pyrrhocorax* Brân Coesgoch
BRÂN ARTHUR, BRÂN COCHBIG, BRÂN GERNYW (Morgannwg), BRÂN BIG GOCH, PALORES, BRÂN IWERDDON, BRÂN BICOCH (Pen Llŷn), BRÂN PENMAENMAWR (Bangor), BRÂN BIG COCH

Cirl Bunting *Emberiza cirlus* Bras Ffrainc
BRAS Y COED, LLINOS FELEN BENDDU

Coal Tit   *Parus ater*   Titw Penddu
TITW DU, YSWIGW DU, PENLOYW [gweler **Great Tit**], GLAS BACH PENDDU, YSWIDW PENDDU, YSWIDW DU, Y PENLOYN LLYGLIW, PELA PENDDU [gweler **Marsh Tit**], TITW GWEGIL GWYN (Sir Fôn), PELA LLWYDWYN, LLYGODEN Y DERW [gweler **Blue Tit** a **Lesser-spotted Woodpecker**]

Collared Dove   *Streptopelia decaocto*   Turtur Dorchog
TURTUR DORCHAWG, COLOMEN LWYD (Sir Fôn), CLOMAN BACH (Dyffryn Nantlle)

Collared Flycatcher   *Ficedula albicollis*   Gwybedog Torchog

Collared Pratincole   *Glareola pratincola*   Cwtiadwennol Dorchog

Common Gull   *Larus canus*   Gwylan y Gweunydd
GWYLAN GYFFREDIN [Gweler **Black-headed Gull**], YR WYLAN GYFFREDIN, WYLAN WEN, GWYLAN WEN [Gweler **Ivory Gull**] (Bangor)

Common Nighthawk   *Chordeiles minor*   Cudylldroellwr

Common Rosefinch   *Carpodacus erythrinus*   Llinos Goch

Common Sandpiper   *Actitis hypoleucos*   Pibydd y Dorlan
PIBYDD, SNEIPEN YR HAF, PIBYDD Y TRAETH (Sir Fôn) [Gweler **Sanderling**], GIACH YR HAF, SNIPEN YR HAF, WIL DŴR (Blaenau Ffestiniog), TYWOD GANWR CYFFREDIN (Llandysul)

Common Scoter   *Melanitta nigra*   Môr-hwyaden Ddu
HWYADEN DDU, HWYADEN MÔR, HWYAD DDU

Common Tern   *Sterna hirundo*   Morwennol Gyffredin
MORWENNOL, Y FORWENNOL FWYAF, GWENNOL Y MÔR, YSGRECHEN, YSGRAELL, YSGRAEN, YSGRENEN, YSTRACEN, USGRECHEN, CHWIDLWR PENWAIG, GUTO GRYGLYD (Ceinewydd a Pen Llŷn), ADERYN PENWAIG (Bangor), GWENOLEN Y DŴR (Morgannwg)

Coot   *Fulica atra*   Cwtiar
IÂR Y GORS [Gweler **Moorhen**], IÂR DDWR FOEL, DOBI BENWYN, COTIAR [Gweler **Water Rail**], CORSHWYAD DDU, DOBI BENWEN, HOBI BENWEN, GIAR DŴR, CORSIAR, DYFRIAR

Cormorant   *Phalacrocorax carbo*   Mulfran
MORFRAN, BILI DOWCAR (Gwynedd), COLIER, WIL WAL WALIOG, LLANC LLANDUDNO, GLODDESTWR, BILIDOWCAN (Caernarfon), WIL YR ABER (Sir Gaerfyrddin), Y WILIBOLFRAN (Llandudoch)

Corn Bunting   *Miliaria calandra*   Bras yr Ŷd
BRAS Y DDRUTAN, BRAS CYFFREDIN, BRAS HEDYDD, ADERYN BRAS, Y DDRUTAN, ADERYN BRAS YR ŶD, BRASSI BUTAIN, BRAS Y RUTAN

Corncrake   *Crex crex*   Rhegen yr Ŷd
RHEGEN RYG, RHEGEN Y RHYCH, SGRECH YR ŶD, SGRECH Y GWAIR
(Ceredigion), RYG A RYG, SGRAD (Ceinewydd), RHEGEN Y RHYG, RHEGEN
YR YCH, CRECIAR, CUDYLL Y RHYCH (Maldwyn), RHEGEN HYG, YSGRECH
Y GWAIR, CWÂL (Efailwen), REGEN RUG (Llangefni), REGE RYG (Sir Fflint),
SGRAD Y GWAIR, SGRECH WAIR, RHEGIEN RHYCH (Maldwyn), CREC
CREC (Llangennech), CRIGYN Y GWAIR, RHEGYN Y GWAIR, RING Y TIR
(Llwchwr), CERYGR Y RHUG (Llanrwst), RHIGYL Y RHYCH (Maldwyn),
SCRACHEN, RYGAR RYG, RIGAR RYG, RYGAN RYG (Caernarfon), REGAR
ŶD (Sir Fôn), ADERYN CUDD YR ŶD, SOFLIAR Y TIR (Llandysul), REGAN YR
ŶD (Rhigos), GAFAR WAN'WN (Dyffryn Aeron), RHEGAN RYG (Arfon),
REGAN RYG (Bangor)

Cory's Shearwater   *Calonectris diomedea*   Aderyn-drycin Cory

Crag Martin   *Ptyonoprogne rupestris*   Gwennol y Clogwyn

Crane   *Grus grus*   Garan
YR ARAN, CRYCHYDD [gweler **Grey Heron**]

Cream-coloured Courser *Cursorius cursor*   Rhedwr y Twyni
RHEDEGYDD MELYN

Crested Lark   *Galerida cristata*   Ehedydd Copog

Crested Tit   *Parus cristatus*   Titw Copog
YSWIDW GOPOG, TITW'R ALBAN, YSWIDW CRIBOG

Crosbill   *Loxia curvirostra*   Gylfin Groes
CROESBIG

Cuckoo   *Cuculus canorus*   Cog
GWCW, CAETHLYDD, CETHLYTH, Y GOG, CETHLYDD, GWCW LLWYDLAS
(Sir Fôn), CEGID FECHAN

Curlew   *Numenius arquata*   Gylfinir
CORNICYLL Y WAUN [gweler **Lapwing**], GIARLIW, CHWIBANOGL Y
MYNYDD, CWRLIG, CWRLIP, CHWIBANWR, CWLIWN, CWRLIF,
CHWIBANOGL FYNYDD, Y GYLFINHIR, GLIFINIR FAWR (Sir Fôn), GLIFINIR
GILFAINHIR, PEGI BIG HIR (Penllyn), CWRLIN, CŴN EBRILL [Arfon],
GYLFINOG, WHIBANWR (Cwm Gwendraeth), CYRLIW, CYRLIWN, GLIFIRIN,
GLAFINIR, COG CWM NANT YR EIRA (Maldwyn), CHWIBANOG Y
MYNYDD (Llandysul)

Curlew Sanpiper   *Calidris ferruginea*   Pibydd Cambig
CORBIBYDD [gweler **Little Stint**], PIBYDD GYLFINOG, GYLFINHIR BACH, Y
GRACH CHWIBANOGL, COR-GYLFINIR (Sir Fôn), Y GRACH CHWIBAN

Dark-eyed Junco   *Junco hyemalis*   Jynco Llygatddu

Dartford Warbler   *Sylvia undata*   Telor Dartford
DRYW YR EITHIN, DRYW BACH YR EITHIN, TELOR YR EITHIN

Desert Wheatear   *Oeananthe deserti*   Tinwen y Diffaethwch

Dipper   *Cinclus cinclus*   Bronwen y Dŵr
TROCHWR, MWYALCHEN Y DŴR, WIL Y DŴR, ADERYN DU'R DŴR, TRESGLEN Y DŴR, MWYALCHEN DDŴR, MERWYS, IÂR DDŴR [Gweler **Moorhen**], BRONWEN Y GARW, MWYALCHEN AFON, BRONFRAITH FACH Y DŴR(Llansysul), DRYW'R AFON, IÂR DDŴR FRONWEN, RHEGEN Y DŴR, MORWEN Y DŴR

Dotterel   *Charadrius morinellus*   Hutan y Mynydd
HUTAN, YR HUTAN

Dunnock   *Prunella modularis*   Llwyd y Gwrych
LLWYD Y BERTH, LLWYD Y CLAWDD (Bangor), LLWYD BACH (Sir Fôn), JAC LLWYD Y BAW (Llanllwni), GWAS Y GOG [gweler **Meadow Pipit** a **Wryneck**], SIANI LWYD (Llŷn), SHANI LWYD, LLWYD Y DOM, GWRYCHELL, GWRACHELL Y CAE, BRYCH Y CAE, BRITH Y CAE, LLWYD Y BAW [Gweler **Pied Wagtail**], Y FRONFRAITH FACH (Y Bala), CETHLYDD Y GWRYCH, SHANI LWYD Y SHETIN (Maldwyn), GWAS Y GWCW, GWACHAN BACH (Bangor), BRYCHGA (Morgannwg), ADERYN LLWYD BACH, GWICHYN Y GOG, GWIGYN Y GOG, LLWYTYN Y BERTH, GWRACH Y CAE (Bangor), SHANI LWYD Y GWRYCH (Sir Gaerfyrddin)

Dunlin   *Calidris alpina*   Pibydd y Mawn
LLYGAD YR YCH, PIBYDD RHUDDGOCH, LLWYD Y TYWOD [Gweler **Sanderling**], ADERYN YR YCH, GÏACH Y MÔR, PIBYDD DU (Sir Fôn), SBEIRIOS Y MÔR (Bangor), PIBYDD Y TRAETH(Sir Fôn)

Dusky Thrush   *Turdus naumanii*   Brych Tywyll

Dusky Warbler   *Phylloscopus fuscatus*   Telor Tywyll

Eagle Owl   *Bubo bubo*   Y Dylluan Fawr
ERYR DYLLUAN, DYLLUAN GORNIOG FAWR

Egyptian Goose   *Alopochen aegyptiacus*   Gŵydd yr Aifft

Eider   *Somateria mollissima*   Hwyaden Fwythblu

Eye-browed Thrush   *Turdus obscurus*   Brych Aeliog

Ferruginous Duck   *Aythya nyroca*   Hwyaden Lygadwen
HWYADEN FRECH, HWYADEN BENGOCH LYGADWEN, LLYGAD ARIAN

Fieldfare   *Turdus pilaris*   Socan Eira
SOGIAR, CASEG Y DDRYCIN, SOCAN LWYD, SOGEN LWYD, SOCEN LWYD,
Y GEFNLWYD, ADERYN YR EIRA, BRONFRAITH YR EIRA, CASEG EIRA,
SOCAS LWYD, FFILDIFFAR (Maldwyn), ADAN IRA (Maldwyn), SORCAS
LWYD (Llandysul)

Firecrest   *Regulus ignicapillus*   Dryw Penfflamgoch
DRYW RHUDD CRIBOG, BRYW BEN TÂN, PEN BAWD CRIBGOCH (Sir Fôn)

Forster's Tern   *Sterna forsteri*   Morwennol Forster

Franklin's Gull   *Larus pipixcan*   Gwylan Franklin

Fulmar   *Fulmarus glacialis*   Aderyn-Drycin y Graig
FFWLMAR, ADERYN DRYCIN, GWYLAN Y GRAIG

Gadwall   *Anas strepera*   Hwyaden Lwyd
CORSHWYADEN LWYD, CORSHWYADEN WYLLT, Y GORSHWYAD LWYD,
HWYAD LWYD, CORSHWYADEN (Sir Fôn)

Gannet   *Sula bassana*   Hugan
Y GAN, GWYLAN FAWR, MULFRAN WEN, MULFRAN LWYD, GŴYDD Y
WEILGI, GWYLANWYDD, GWYLAN DYDD, GŴYDD LYGADLAN, GANS,
GANDAN, HUCAN, GARNET, GARNAT, GANDER, GŴYDD WYLLT
(Aberdaron)

Garden Warbler   *Sylvia borin*   Telor yr Ardd
TELOR Y BERLLAN, LLWYD Y BERLLAN, Y FFIGYSOG, DRYW WEN,
CETHLYDD YR ARDD, CANWR YR ARDD (Llandysul), Y CETHLYDD BACH

Gargney   *Anas querquedula*   Hwyaden Addfain
CORNHWYAD YR HAF

Glaucous Gull   *Larus hyperboreus*   Gwylan y Gogledd
GWYLAN LASWYRDD

Glossy Ibis   *Plegadis falcinellus*   Crymanbig Ddu
CHWIBANOGL DDU

Goldcrest   *Regulus regulus*   Dryw Eurben
DRYW BEN AUR, DRYW AUR, DRYW MELYN GRIBOG, EURBEN, DRYW
RHUDD CRIBOG [Gweler **Firecrest**], DRYW BENFELEN, DRYW BACH Y
COED, YSWIGW, DRYW EURGOPOG, PEN BAWD, BRENINYN, TITW PEN
BAWD, PEN BAWD EURBEN (Sir Fôn), LLEIANYN

Golden Eagle   *Aquila chrysaetos*   Eryr Euraid
ERYR EURAIDD, ERYR AUR, ERYR MELYN, ERYR, ERYR DU

Golden Oriole   *Oriolus oriolus*   Euryn
MWYALCHEN FELEN EURGEG, Y FWYALCHEN FELEN, MWYNDER Y COED (Sir Fôn)

Golden Pheasant   *Chrysolophus ictus*   Ffesant Euraid

Golden Plover   *Pluvialis apricaria*   Cwtiad Aur
CHWILGORN Y MYNYDD, CORNICYLL AUR, CORNICYLL Y MYNYDD, CWTYN AUR, CWTIAD EURAID, CWTYN YR AUR, CWTIAD YR AUR, Y BLUEN AUR, Y PLUFYN AUR, CHWILGORN Y TWYN, RHOSTOG EURAIDD (Llandysul)

Goldeneye   *Bucephala clangula*   Hwyaden Lygad Aur
LLYGAD AUR, HWYADEN BENLLWYD, HWYADEN LLYGAID-EURAIDD (Llandysul)

Goldfinch   *Carduelis carduelis*   Nico
JAC NICO (Pen Llŷn), TEILIWR LLUNDAIN [Oherwydd ei blu lliwgar. Gweler **Grasshopper Warbler**], PENEURYN, EURBINC, POBLIW, SOLDIWR BACH Y WERDDON, GWAS Y SIRI [Gweler **Bullfinch**], CNOT (Ceredigion), NICOL, GWAS Y SEIRI, YSNODEN FELEN, ASGELL AUR, TELOR LLUNDAIN, ADERYN PENTÂN, PENGOCH YR OERYN (Llanelli), JAC Y NICO, DERYN PEN AUR (Sir Benfro), NICO BENGOCH (Y Bala), PEN SHIDAN (Sir Benfro), GWAS Y SHIRIFF, SOLDIWR BACH (Ceredigion), PENEWIN (Llandysul), PENAUR (Morgannwg)

Goosander   *Mergus merganser*   Hwyaden Ddanheddog
HWYADEN GOESGOCH, HWYAD-YDD DDANHEDDOG, HWYAD DDANHEDDOG, HWYADWYDD GYFFREDIN, LLIFBIG

Goshawk   *Accipiter gentilis*   Gwalch Marth
GOSOG, GWYDDWALCH, CUDDON-WALCH, HEBOG MIRIAN, HEBOG MARTHIN

Grasshopper Warbler   *Locustella naevia*   Troellwr Bach
TELOR Y GWAIR, GWICHEDYDD, NYDDWR BACH, NYDDREG, YR ANHYWEL, NYDDUG, TEILIWR LLUNDAIN [Oherwydd ei nyth cywrain. Gweler **Goldfinch**]

Great Black-backed Gull *Larus marinus*   Gwylan Gefnddu
                                                  Fwyaf
COPSYN Y MÔR, GWYLAN DDU A GWYN, GWYLAN LWYD, GWYLAN GEFNDDU FAWR, COPSYN, GWYLAN CEFN DU (Bangor)

Great Bustard   *Otis tarda*   Ceiliog y Waun
YR ARAF EHEDYDD, BWSTARD MAWR, TWRCI'R GWERN, TYRCIAR Y GWERN, CEILIOG Y GWERN, IÂR Y GWERN

Great Grey Shrike   *Lanius excubitor*   Cigydd Mawr
CIGYDD LLWYD MAWR

Great Northern Diver   *Gavia immer*   Trochydd Mawr
YMSUDDWR MAWR (Sir Fôn)

Great Reed Warbler   *Acrocephulus arundinaceus*   Telor Mawr y Cyrs

Great Shearwater   *Puffinus gravis*   Aderyn-drycin Mawr
ADERYN DRYCIN MWYAF, PÂL MWYAF

Great Skua   *Stercorarius skua*   Sgiwen Fawr
YSGIWEN FWYAF, YSGIWEN FAWR, GWYLAN LWYD-DDU, GWYLAN
DDULWYD, GWYLAN FRECH

Great Snipe   *Gallinago media*   Gïach Fawr
YSNID, SNID FWYAF, MYNIAR FWYAF, GÏACH UNIG

Great Spotted   *Dendrocopos major*   Cnocell Fraith Fwyaf
   Woodpecker
COBLER Y COED, TARADR Y COED, CYMYNWR Y COED, COBLYN Y COED
[Gweler **Green Woodpecker**], TYLLWR Y COED [Gweler **Green Woodpecker**],
COBLYN MAWR, COBLYN BRITH MWYAF, DELOR BRITH MWYAF,
COBLYN MWYAF, CEGID, DELOR FRAITH

Great Tit   *Parus major*   Titw Mawr
TITW MWYAF, PENLOYN MAWR, PENLOYN [Gweler **Blackcap** a **Blue Tit**],
PENLOYW [Gweler **Coal Tit**], PENLOYN MWYAF, YSWIGW, YSWIDW'R
COED, YSWIGW'R COED, YSWIDW FAWR, PELA MAWR, HOGWR, LLIFIWR
[Gweler **Chiffchaff**], LLEIAN [Gweler **Blue Tit**], CAP Y LLEIAN

Great Yellowlegs   *Tringa melanoleuca*   Melyngoes Mawr

Great-crested Grebe   *Podiceps cristatus*   Gwyach Fawr Gopog
DOWCIAR, GWYACH FAWR, GWYACH GORNIOG [Gweler **Slavonian**
Grebe], WIL WAWCH, GWYLAN CRIBOG (Llandysul)

Great-spotted Cuckoo   *Clamator glandarius*   Cog Frech
Y GOG FAWR FANNOG

Greater Sand Plover   *Charadrius leschenaultia*   Cwtiad y Tywod
Mwyaf

Great White Egret   *Ardea alba*   Crëyr Mawr Gwyn

Green-backed Heron   *Butorides virescens*   Crëyr Gwyrdd

Green Sandpiper   *Tringa ochropus*   Pibydd Gwyrdd
PIBYDD GWYRDD Y TRAETH, Y PIBYDD GWYRDD

Green-winged Teal   *Anas crecca carolinensis*   Corhwyaden Asgell-
werdd

Green Woodpecker *Picus viridis* Cnocell Werdd
CNOCELL Y COED, CASEG WANWYN, COBLYN WYRDD, COBLYN
GWYRDD, LLOERCEN, DELOR, CWYNWR Y COED, TARADR Y COED,
CEGIDEN, CNOCELL WERDD Y COED, DELOR Y DERW, COBLYN Y COED
[Gweler **Great Spotted Woodpecker**], TARAD Y COED, TYLLWR Y COED
[Gweler **Great Spotted Woodpecker**], CYMYNWR Y DERW, CASEG Y
DDRYCIN [Gweler **Fieldfare,Mistle Thrush** a **Starling**], CYMYNWR Y COED,
EBOL JASON, COBLYN COED (Sir Fflint), CROGALL Y COED (Llandudno),
EBOLES WANWYN, COBLYN GWYRDD (Sir Fôn), TELOR FRAITH, CROCAL
COED

Greenfinch *Carduelis chloris* Llinos Werdd
LLINOS GWYRDD, SIENCYN CYWARCH (Sir Fôn), PILA GWYRDD [Gweler
Siskin], LLINOS FELEN [Gweler **Yellowhammer**], LLINOS WERDD Y GEGID,
Y GEGID, CWINC PENSIDAN, GWYRDDBINC, LLINOSEN WERDD, DERYN
MELYN, TLWS Y BERTH (Nantgarw), ASGELL WERDD (Aberdaron), ADERYN
GWYRDD-LIW (Llandysul), PINC GWYRDD-LIW (Llandysul)

Greenish Warbler *Phylloscopus throchiloides* Telor Gwyrdd

Greenshank *Tringa nebularia* Pibydd Coeswerdd
COESWERDD, PIBYDD COESWYRDD

Grey Catbird *Dumetella carolinensis* Cath-aderyn Llwyd

Grey Heron *Ardea cinerea* Crëyr Glas
CRYCHYDD, GARAN [Gweler **Crane**], CRËYR, CRŶR GLAS (Meirionnydd),
CREHYR, Y CRYCHYDD GLAS (Dyffryn Aeron), CRECHYDD DINDON,
CRACH Y DING-DON, CRYCHYDD CAM (Rhyd Cymerau), CRYHYR, CRU
GLAS (Sir Fôn), CRYDD GLAS, CRECHI (Sir Benfro), CRECHI GLAS, CRECHI
DING DONG (Sir Benfro), CLEGAR GLAS (Maldwyn), Y GARRAN LWYD
(Morgannwg), CARRAN GRYCHYDD (Morgannwg), CRECHYDD MAWR,
CREGYR (Bangor), CRUGLAS (Bangor)

Grey Phalarope *Phalaropus fulicarius* Llydandroed Llwyd
PIBYDD LLWYD LLYDANDROED, PIBYDD LLYDANDROED, PIBYDD
LLYDANDROED GLAS, PIBYDD GLAS LLYDANDROED

Grey Plover *Pluvialis squatarola* Cwtiad Llwyd
CWTIAD GLAS, CORNICYLL LLWYD, CORNICYLL Y GWYNT, CWTYN
LLWYD, PLYFER, BLYDDAR (Bangor), CORNOR Y GWEUNYDD [Gweler
Lapwing]

Grey Wagtail *Motacilla cinerea* Siglen Lwyd
SIGLEN LAS, BRITH Y FUCHES LWYD, TINSIGL LWYD, SIGLDIN LWYD,
SHIGWTI LWYD, GWINGDIN Y DŴR

Greylag Goose *Anser anser* Gŵydd Wyllt
GŴYDD WYLLT GYFFREDIN, SOFLWYDD [Gweler **Bean Goose**]

Grey-cheeked Thrush *Catharus minimus* Bronfraith Fochlwyd

Grey-tailed Tattler *Heteroscelus brevipes* Pibydd Gynffonlwyd

Guillemot *Uria aalge* Gwylog
HELIGOG, HWYLOG, CHWILOG, GWILYM, AARON [Gweler **Razorbill**]
(Bangor), BRIDIN BACH, MORIAH, BREEDIN, DYBRUAN, POTSEN
(Ceinewydd), GWYLAWG

Gull-billed Tern *Gelochelidon nilotica* Morwennol Ylfinbraff

Gyr Falcon *Falco rusticolus* Hebog y Gogledd
HEBOG CHWYLDRO

Hawfinch *Coccothraustes coccothraustes* Gylfinbraff
PENDEW, CYLBRAFF

Hen Harrier *Circus cyaneus* Bod Tinwen
BODA TINWYN, HEBOG LLWYDLAS [Lliw'r ceiliog], CUDWALCH, BODA
DINWEN, BOD TINWYN, ADERYN SANT SILYN, BOD GLAS [Gweler
Peregrine, Merlin a **Sparrowhawk**], HEBOG GLAS, CUDWALCH YR IEIR, BOD
LLWYDLAS

Herring Gull *Larus argentatus* Gwylan y Penwaig
GWYLAN LWYD [Gweler **Great black-backed Gull**], GWYLAN FRECH [Cyf. At
y cyw], GWYLAN YSGADAN, CUDYLL CACHU'N CEI (Caernarfon), COPSYN
Y MÔR, HUCAN Y PYSGOD, COB [Un ifanc], GWYLAN SGIP

Hobby *Falco subbuteo* Hebog yr Ehedydd
HUDWALCH, HEBOG YR HEDYDD, HEBOG BITW, HEBOG DRAMOR
[Gweler **Peregrine Falcon**], YR HWYEDIG, CURYLL Y GWYNT, GELYN Y
GOLOMEN [Gweler **Peregrine Falcon**]

Honey Buzzard *Pernis apivorus* Bod y Mêl
BODA'R MÊL

Hooded Crow *Corvus corone cornix* Brân Lwyd
HWDFRAN, BRÂN GLAN MÔR, BRÂN IWERDDON, BRÂN Y LLUDW, BRÂN
LUDLYD, BRÂN HEDLYD, BRÂN LUDLIW, BRÂN Y WERDDON, BRÂN
GWERDDON

Hooded Merganser *Mergus cucullatus* Hwyaden Benwen
TROCHYDD DANHEDDOG COPOG

Hoopoe *Upupa epops* Copog
Y GOPOG

Houbara Bustard *Chlamydotis undulate* Ceiliog y Gwern Gopog
BWSTARD GOPOG

House Martin   *Delichon urbica*   Gwennol y Bondo
GWENNOL Y BARGOD, GWENNOL Y MURIAU, GWENNOL FRONWEN, GWENNOL Y MUR, MARTHIN PENBWL, MARTHIN, GWENNOL FAWR, PENBWL, WENNOL Y TAI, GWICH Y BONDO (Sir Fôn), GWENNOL Y MAES (Llandysul)

House Sparrow   *Passer domesticus*   Aderyn y To
LLWYD Y TO (Cwm Tawe, Llanllwni), STREW (Caernarfon), SBROCSYN (Caernarfon), GOLFAN, ADERYN LLWYD Y TO, LLWYTYN (Cwm Rhondda), CAINT Y TO, SPROCSYN Y BAW (Morgannwg), CAINC Y TO (Morgannwg), SPROETYN (Bynea/Llwynhendy), DERYN Y TO (Llandysul), DERYN LLWYD Y TO (Penegoes), TWITIN (Nantgarw)

Hudsonian Whimbrel   *Numenius minutes*   Coegylfinir Hudson
                                     hudsonicus

Hume's Leaf Warbler   *Phylloscopus humei*   Telor Hume

Iceland Gull   *Larus glaucoides*   Gwylan yr Arctig
GWYLAN GWLAD YR IÂ, GWYLAN YNYS YR IÂ

Icterine Warbler   *Hippolais icternia*   Telor Aur

Indigo Bunting   *Passerina cyanea*   Bras Dulas

Isabelline Shrike   *Lanius isabellinus*   Cigydd Gwdw

Ivory Gull   *Pagophila eburnea*   Gwylan Ifori
GWYLAN WEN [Gweler **Common Gull**]

Jack Snipe   *Lymnocryptes minimus*   Gïach Fach
GÏACH LEIAF, SNEIPEN FACH, YSNITEN [Gweler **Snipe**], GÏACH, MYNIAR LEIAF, YSNITEN FACH, SNIPEN FACH, YSNITEN LEIAF, SNIPEN LEIAF, YR YSNID, GÏACH BACH (Llandysul)

Jackdaw   *Corvus monedula*   Jac-y-do
CAWCI, COGFRAN, CORFRAN, COEGFRAN, JAC FFA, BRANI BACH (Llandysul)

Jay   *Garrulus glandarius*   Ysgrech y Coed
SGRECH Y COED, PIODEN Y COED, YSGRECH GOED (Morgannwg), PIODEN GOCH, YSGRECHOG, PIOGEN Y COED, CRACELL GOED, ADERYN Y CEGID, SGRECH (Maldwyn) [Gweler **Starling**], SGRECH YR ALLT (Cwm Tawe), SGRAD Y COED (Sir Benfro) [Gweler **Mistle Thrush**], ADERYN COCH, SCRECH Y CÔD (Llandysul), SGRECH Y CWÊD (Sir Benfro), CASEG Y DDRYCIN

| Kentish Plover | *Charadrius alexandrinus* | Cwtiad Caint |

Kestrel   *Falco tinnunculus*   Cudyll Coch
Y GENLLI GOCH, CURYLL Y GWYNT (De Cymru), GELLAN GOCH (Sir Fôn), CURYLL COCH, CUDYLL Y GWYNT, CEINLLEF GOCH, CEINLLY, CENLLI GOCH, BOD LLWYDGOCH, GELLI GOCH (Sir Fflint), CITYLL COCH, GERLAN GOCH, GALAN GOCH [Gweler **Sparrowhawk**], GWYNLLI GOCH, GERLLAN GOCH (Bangor), GWERYLL (Cwm Tawe)

Killdeer   *Charadrius vociferus*   Cwtiad Torchog Mawr

King Eider   *Somateria spectabilis*   Hwyaden Fwythblu'r Gogledd
Y BRENIN FWYTHBLU

Kingfisher   *Alcedo atthis*   Glas y Dorlan
GLAS Y CEULAN (Rhyd Cymerau), PYSGOTWR, BRENIN Y PYSGOD (Traethcoch), GLAS YR AFON, Y PYSGOTWR GLAS (Aberdaron), GLAS Y DŴR (Dyffryn Aeron), DERYN GLAS YR AFON, PIODEN Y DŴR, PIODEN Y DWFR (Llandysul), PIODEN LAS Y DŴR, YR HALCYON

Kittiwake   *Rissa tridactyla*   Gwylan Goesddu
GWYLAN DRIBYS, DRILYN, GWYLAN BENWEN, GWYLAN GERNYW

Knot   *Calidris canutus*   Pibydd yr Aber
MYNIAR Y TRAETH, CNUT, CNIT, PIBYDD GLAS [Lliw yn y gaeaf] (Sir Fôn), Y CNUT, MYNIAR GOESGOCH, PIBYDD LLWYDWYN

Lanceolated Warbler   *Locustella lanceolata*   Telor Rhesog

Lady's Amherst's Pheasant   *Chrysolophus amherstiae*   Ffesant Amherst

Lapland Bunting   *Calcarius lapponicus*   Bras y Gogledd
BRAS LAPLAND, BRAS LAPDIR (Sir Fôn)

Lapwing   *Vanellus vanellus*   Cornchwiglen
HEN HET, CORNICYLL Y WAUN [Gweler **Curlew**], CORNICYLL Y GORS, GWAE FI [Cri tebyg i "PEEWIT" Saesneg], BRONDDU'R TWYNAU [Gweler **Ringed Plover**], CORNCHWIGL, CORNICYLL, CORNICELL, CORN Y WICH, CORNOR Y GWEUNYDD, CRIGLEN (Sir Fôn), Y GORNWICH, Y CHWIGLEN, CHWILGORN Y GWYNT, CWTIAD GWYRDD, CORNIGLEN (Llangefni), CRICYLL Y WAEN, CYRNICYLL, CORNWIGIL (Llangolman), CORN-WICH (Maldwyn), PIGYLL (Morgannwg), CNIGLAN (Sir Fôn), CRIGLAN, CLICIAD Y WAUN, COPA CORNICYLL (Dyfed)

Laughing Gull   *Laurus atricilla*   Gwylan Chwerthinog

Leach's Petrel   *Oceanodroma leucorhoa*   Pedryn Gynffon-fforchog
BROCHELLOG, PEDRYN LLACH

Least Sandpiper   *Calidris minutilla*   Pibydd Lleiaf

Lesser Black-backed Gull *Larus fuscus*   Gwylan Gefnddu Leiaf
GWYLAN DU A GWYN, GWYLAN FECHAN GEFNDDU (Llandysul)

Lesser Crested Tern   *Sterna bengalensis*   Morwennol Gribog Leiaf

Lesser Grey Shrike   *Lanius minor*   Cigydd Glas

Lesser Redpoll   *Carduelis cabaret*   Llinos Bengoch Leiaf

Lesser Spotted Woodpecker   *Dendrocopos minor*   Cnocell Fraith Leiaf
DELOR FRAITH LEIAF, CNOCELL BRITH BACH, LLYGODEN Y DERW [Gweler **Blue Tit** a **Coal Tit**], COBLYN LLEIAF, COBLYN BRITH LLEIAF, DELOR BRITH LLEIAF, CASEG Y GWANWYN [Gweler **Green Woodpecker**]

Lesser Whitethroat   *Sylvia curruca*   Llwydfron Fach
GWDDFGWYN LLEIAF, CREGWYN LLEIAF, LLWYDFRON LLEIAF, BRONWEN LLEIAF, Y FRONWEN LLEIAF, CEGWYN LLEIAF, PENLLWYD LLEIAF (Sir Fôn)

Lesser White-fronted Goose   *Anser erythropus*   Gŵydd Dalcenwen Leiaf

Lesser Yellowlegs   *Tringa flavipes*   Melyngoes Bach

Linnet   *Carduelis cannabina*   Llinos
ADERYN CYWARCH, BROWN Y MYNYDD, GYRNAD LWYD, DERYN COWARCH, DERYN CYWARCH, MELYNOG, NICOL (Maldwyn) [Gweler **Goldfinch**], ADERYN Y LLIN, SYWIDW [Gweler **Blue Tit**]

Little Auk   *Alle alle*   Carfil Bach
PENGWYN BACH [Llygriad o PENGUIN], CARFIL LLEIAF, CARFYL LLEIAF, CARFYL BACH

Little Bittern   *Ixobrychus minutus*   Aderyn-bwn Lleiaf
BWMP LLEIAF, BWN BACH

Little Bunting   *Emberiza pusilla*   Bras Lleiaf
BRAS BACH

Little Bustard   *Tetrax tetrax*   Ceiliog y Waun Lleiaf
ARAF EHEDYDD LLEIAF, CEILIOG Y GWERN LLEIAF, BWSTARD BACH

Little Crake   *Porzana parva*   Rhegen Fach

Little Egret   *Egretta garzetta*   Crëyr Bach
CRËYR GWYN LLEIAF, CRËYR COPOG LLEIAF, CRËYR BACH COPOG

Little Grebe   *Tachybaptus ruficollis*   Gwyach Fach
GWYACH LEIAF, HARRI-GWLYCH DY BIG, TINDROED [Gweler **Great Crested Grebe**], TINDROED FACH, TINTROED FACH, HWYADEN GLADDU [Gweler **Shelduck**], GWYLAN (Llandysul), CAS GAN FFOWLER (Gweler **Water Rail**)

Little Gull   *Larus minitus*   Gwylan Fechan
YR WYLAN LEIAF

Little Owl   *Athene noctua*   Tylluan Fach
COEG DYLLUAN, TYLLUAN GOEG

Little Shearwater   *Puffinus assimilis*   Aderyn–drycin Bach

Little Stint   *Calidris minuta*   Pibydd Bach
PIBYDD LLEIAF, CORBIBYDD [Gweler **Curlew Sanpiper**], PIBYDD BACH Y TRAETH (Sir Fôn)

Little Swift   *Apus affinis*   Gwennol Ddu Fach

Little Tern   *Sterna albifrons*   Morwennol Fechan
MORWENNOL LEIAF, MORWENNOL FACH

Little Whimbrel   *Numenius minutus*   Corgylfinir Bach

Little Ringed Plover   *Charadrius dubius*   Cwtiad Torchog Bach
CORNICYLL MODRWYOG BACH

Long-billed Dowitcher   *Limmodromus scolopaceus*   Giach Gylfin-hir

Long-eared Owl   *Asio otus*   Tylluan Gorniog
DYLLUAN HIRGLUST

Long-tailed Duck   *Clangula hyemalis*   Hwyaden Gynffon-hir
HWYADEN GYNFFON GWENNOL (Sir Fôn), HWYADEN LOST-GWENNOL

Long-tailed Skua   *Stercorarius longicaudus*   Sgiwen Lostfain
YSGIWEN GYNFFON HIR

Long-tailed Tit   *Aegithalos caudatus*   Titw Cynffon-hir
YSWIGW GYNFFON-HIR, YSWIGW HIRGWT, LLEIAN GYNFFON-HIR, GWAS Y DRYW [Gweler **Blue Tit**], YSWELW, PELA GYNFFON-HIR, YSWIDW HIR EI GWT, Y PENLOYN GYNFFONIG, GLAS GYNFFON HIR, YSWEDW, PWD, YSWIDW'R BOTEL, SHIBIGW, SIGL-DI-GWT [Gweler **Pied Wagtail**], ADERYN REIS PWDIN

Magpie   *Pica pica*   Pioden
PIOGEN, PIA, Y BI, PIOTEN, PIOGIEN (Maldwyn), PIOGAN (Sir Fôn)

Mallard   *Anas platyrhynchos*   Hwyaden Wyllt
HWYAD WYLLT, CORSHWYAD [Gweler **Gadwall**], ADIAD, GARAN HWYAD, HUDNWY, CEILIOG CHWIADEN, MEILART MALARD,MEILART, MEILAT, MAELAD, MERLAT, MILART, MARLAT, PALAT, PEILAT, BARLAD, BARLAT

Mandarin Duck   *Aix galericulata*   Hwyaden Gribog

Manx Shearwater   *Puffinus puffinus*   Aderyn Drycin Manaw
GWYLAN MANAW, MACKEREL COCK Pen Llŷn: MECRYLL COC yw'r ffurf Gymraeg], MÔR GNEIFIWR MANAW, PWFFINGEN FANAW, PÂL MANAW, PWFFIN MANAW, GWALCH Y MECRYLL

Marsh Harrier   *Circus aeruginosus*   Bod y Gwerni
BODA'R GORS, HEBOG YR HESG, BOD Y WERN, HEBOG Y WERN, BARCUD GLAS [Ceiliog], BWNCATH Y WERN, CUDWALCH Y GWERN, ADERYN CEINACH Y MORFA (Llandysul)

Marsh Sandpiper   *Tringa stagnatilis*   Pibydd y Gors

Marsh Tit   *Parus palustris*   Titw'r Wern
TITW'R GORS, YSWIGW'R WERN, YSWIDW LWYD, PELA'R WERN, YSWIDW'R GORS, YSWIDW'R GWERN, PENLOYN Y CYRS, PELA'R GORS, YSWIDW LWYD FACH, PENLOYN Y GORS, PELA PENDDU

Marsh Warbler   *Acrocephalus palustris*   Telor y Gwerni
TELOR Y GORS

Meadow Pipit   *Anthus pratensis*   Corhedydd y Waun
GWAS Y GOG [Gweler **Dunnock** a **Wryneck**], PIPID, PIBYDD Y WAUN, PIBGANWR Y DDÔL (Llandysul), PIBYDD Y MYNYDD, EHEDYDD BACH (Llŷn) [Gweler **Skylark** a **Rock Pipit**], LLWYD Y BRYN, HEDYDD Y WAUN, PIBGANYDD Y DDÔL, SWITI'R WAUN, COEGHEDYDD, PIBYDD Y WEIRGLODD, "SWEETY" WAUN, CORHEDYDD, TELORYDD Y WAUN, LLWYD Y BRWYN, CETHLYDD Y ÇOG, SWIT Y WAUN (Sir Benfro), TROELLWR Y MYNYDD, TROELLWR Y DRAIN, LLWYD SPOTIOG, HEDYDD BACH, EHEDYDD COCH [Gweler **Rock Pipit**], PIBYDD Y DDÔL (Sir Fôn), TROTWAS Y GOG, SWTI'R WAUN

Mediterranean Gull   *Larus melanocephalus*   Gwylan Môr y
                                                                Canoldir

GWYLAN BENDDU IS-ADEINWEN (Sir Fôn)

Mediterranean   *Puffinus yelkouan*   Aderyn-drycin Môr y
    Shearwater   Canoldir

Melodious Warbler   *Hippolais polyglotta*   Telor Pêr

Merlin *Falco columbarius* Cudyll Bach
GWALCH BACH, GWALCH Y GRUG, CORWALCH, CURYLL BACH, LLAMYSTAEN [Gweler **Sparrowhawk**], CUDYLL PENGOCH, LLYMYSTEN [Gweler **Sparrowhawk**], CORNWALCH, HEBOG LLEIAF, BOD GLAS [Lliw y ceiliog] [Gweler **Peregrine, Hen Harrier** a **Sparrowhawk**], GWALCH LLEIAF, CUDYLL GLAS BACH, GRUG WALCH, BOD GLAS BACH, LLAMSYDYN

Mistle Thrush *Turdus viscivorus* Brych y Coed
TRESGLEN, SGRECHGI (Penllyn), CASEG Y DDRYCIN [Gweler **Fieldfare, Green Woodpecker** a **Starling**], SGRAD Y COED [Gweler **Jay**], BRONFRAITH FAWR [Gweler **Song Thrush**], PEN Y LLWYN, CRAGELL Y COED, Y DRESGLEN FWYAF, TRESGLEN LWYD, CREC Y COED, CROGELL Y COED, GOGELL, CRAGELL GOED, CRACHELL, TRESGLEN Y CRAWEL, CRECER, CROGYN, CRACAS GOED (Sir Fôn), PENLLWYN, CEILIOG Y STORM, YSGRECH Y COED [Gweler **Jay**], SHANI LLWYD, BISLI

Montagu's Harrier *Circus pygargus* Bod Montagu
BODA'R WAUN, BODA MONTAGU, HEBOG MONTAGU, CUDWALCH LLWYDWYN

Moorhen *Gallinula chloropus* Iâr Ddŵr
IÂR FACH YR HESG, IÂR Y GORS [Gweler **Coot**], CORS IÂR WERDD-GOES, DYFRIAR, GIAR FACH Y DŴR, GIAR DDŴR, COTIAR [Gweler **Coot**], IARWYDD, IÂR DWFR

Moussier's Redstart *Phoenicurus moussieri* Tingoch Moussier

Mute Swan *Cygnus olor* Alarch Dof
ALARCH MUD, ALARCH DDOF

Night Heron *Nycticorax nycticorax* Crëyr y Nos
CRËYR LLWYDWYN, CRYCHYDD Y NOS

Nightingale *Luscinia megarhynchos* Eos
YR EOS, IOS

Nightjar *Caprimulgus europaeus* Troellwr Mawr
TROELLWR [Sŵn tebyg i dröell], WIL NYDDWR (Aberdaron), GWENNOL Y NOS, RHODOR, GAFR Y GORS [Gweler **Snipe**], GAFR WANWYN, BRÂN NOS, NYDDWR, SAFNAWG, GWALCH Y NOS, RHODWR (Aberdaron), TROELLWR SAFNOG, ADERYN CORFF [Gweler **Barn Owl** a **Raven**], TROELLYDD, ADERYN Y DRÖELL, NOSWENNOL, ADERYN Y RHEDYN, CUDYLL Y NOS, DYLLUAN Y RHEDYN, HWRNWR, GAFAR WIBR, GAFR WYBR, ADERYN NAW, GAFR GORS (Pwllheli)

Northern Oriole *Icterus galbula* Euryn y Gogledd
EURYN BALTIMORE

Nutcracker *Nucifraga caryocatactes* Malwr Cnau
BRÂN Y CNAU, ADERYN Y CNAU, YR EFAIL GNAU

Nuthatch *Sitta europaea* Delor y Cnau
CNOCELL Y CNAU

Olivaceous Warbler *Hippolais pallida* Telor Llwyd

Olive-backed Pipit *Anthus hodgsoni* Corhedydd
Gwyrddgefn

Olive-backed Thrush *Catharus usulatus* Corfronfraith

Ortolan Bunting *Emberiza hortulana* Bras y Gerddi
BRÂS YR ŶD PENWYRDD, BRAS YR ARDD

Osprey *Pandion haliaetus* Gwalch y Pysgod
PYSGERYR, ERYR Y PYSGOD, ERYR Y MÔR [Gweler **White-tailed Eagle**], GWALCH Y MÔR, BARCUD Y MÔR, ERYR Y DŴR, GWALCH Y WEILGI, MÔR ERYR, PYSGOD-WALCH, CRAFANGYDD Y PYSGOD (Sir Fôn/Llwchwr)

Oystercatcher *Haematopus ostralegus* Pioden y Môr
BILCOCK (Cricieth), SAER (Enlli a Pen Llŷn), TWM PIB (Sir Fôn), WYSTRYSWR, PICOCH (Eifionydd), WATRYSWN, LLYMARCHYN, PIOGEN Y MÔR, WSTRYSWR, LLYMARCHOG, PIB, GORWR WESTRAS (Bangor), GORWR CREGIN, ADERYN Y WYSTRYS, LLWYD Y LLYMARCH, AGORWR WESTRAS, DWBI, MALWR CREGIN

Pacific Golden Plover *Pluvialis fulva* Corgwtiad y Môr Tawel

Palla's Sandgrouse *Syrrhaptes paradoxus* Iâr y Diffaethwch
IÂR Y TYWOD

Palla's Warbler *Phylloscopus proregulus* Telor Pallas

Pallid Swift *Apus pallidus* Gwennol Welw-ddu

Partridge *Perdix perdix* Petrisen
CORIAR, CLUGIAR, PETRIS, PENTRISHIEN, PENTRIS (Glynarthen)

Pectoral Sandpiper *Calidris melanotos* Pibydd Cain

Penduline Tit *Remiz pendulinus* Titw Pendil

Peregrine   *Falco peregrinus*   Hebog Tramor
GWALCH GLAS [Gweler **Sparrowhawk**], HEBOG GLAS, HEBOG WLANOG, HEBOG DRAMOR, CUDYLL GLAS [Gweler **Sparrowhawk**], GWALCH CAMIN, YR HEBOG, CUDYLL GLAS, Y GRAIG, BOD GLAS [Gweler **Hen Harrier, Merlin** a **Sparrowhawk**], BARCUT LLWYD, GWALCH YMFUDOL (Sir Fôn), GWALCH Y GOLOMEN (Cwm Tawe), GWALCH BLIN (Dinas Mawddwy)

Pheasant   *Phasianus colchicus*   Ffesant
CEILIOG Y COED [Gweler **Capercaillie**], COEDIAR, IÂR GOED, CILOG GÊM (Llangennech)

Pied Flycatcher   *Ficedula hypoleuca*   Gwybedog Brith
GWYBEDWR DU A GWYN, GWYBEDOG DU A GWYN, GWYBEDWR AML-LIW, GWYBEDOG CEFNDDU, CLOCHDAR Y MYNYDD, CLÊR-DDALIWR BRITHOG (Llandysul), GWYBEDOG PIOD (Sir Fôn), GWYBETWR BRITH (Morgannwg)

Pied Stonechat   *Saxicola caprata*   Clochdar y Cerrig Fraith

Pied Wagtail   *Motacilla alba*   Siglen Fraith
BRITH Y FUCHES, SIGL-I-GLWT, BRITH Y COED, SIGLDIN Y GŴYS, TINSIGL BRITH, BRITH YR OGED, SIGWTI FACH Y DŴR, SIGLEN, SIGLDIN, TINSIGL, BRECH Y FUCHES, SIGLIGWT, ADERYN BRITH YR OGED, TINSIGL Y GŴYS, ADERYN BRITH Y FUCHES, BRITH YR HAD (Morgannwg), LLWYD Y BAW [Gweler **Dunnock**], CACHWR PEN RHAW (Sir Fôn), GWINGDIN Y LLWYN, TRIMAN Y GARREG (Blaenau Ffestiniog), PIODEN FACH YR AFON, SIGL I GWT PIOD (Sir Fôn), ADERYN YR ARIAN [Enw'r Romani arno], SIGLDIN SIONC

Pied Wheatear   *Oenanthe pieschanka*   Tinwen Fraith

Pied-billed Grebe   *Podilymbus podiceps*   Gwyach Ylfinfraith

Pink Footed Goose   *Anser brachyrhynchus*   Gŵydd Droedbinc
GŴYDD COESWYNGOCH, GŴYDD PIG DEULIW (Sir Fôn), YR ŴYDD WYNGOCH

Pintail   *Anas acuta*   Hwyaden Lostfain
HWYADEN GYNFFON FAIN, HWYAD GYNFFON FAIN (Sir Fôn)

Pochard   *Aythya ferina*   Hwyaden Bengoch

Pomarine Skua   *Stercorarius pomarinus*   Sgiwen Frech
YSGIWEN GYNFFONDRO, GWYLAN FRECH, SGIWEN GYNFFONDRO (Sir Fôn)

Ptarmigan   *Lagopus mutus*   Grugiar yr Alban
CORIAR YR ALBAN, IÂR WEN Y MYNYDD, ADERYN Y RUP, GRUGIAR WEN

Puffin *Fratercula arctica* Pâl
PWFFIN, CORNICYLL Y DŴR, PWFFINGEN (Gweler **Manx Shearwater**),
ADERYN DU, CYW ESGOB, PÂLEDN (Sir Fôn), HEBOG YNYS SEIRIOL (Sir
Fôn), ADERYN PÂL

Purple Heron *Ardea purpurea* Crëyr Porffor
CRYCHYDD PORFFOR, CRËYR YDDFGOCH (Sir Fôn)

Purple Sandpiper *Calidris maritima* Pibydd Du
PIBYDD PORFFOR, PIBYDD DU-BORFFOR (Sir Fôn)

Quail *Coturnix coturnix* Sofliar
RHINC [Cri'r aderyn], CWÂL, IÂR Y SOFOL, SOFOLIAR, CREGYDD, CHWAIL

Radde's Warbler *Phylloscopus schwarzi* Telor Radde

Raven *Corvus corax* Cigfran
Y GIGFRAN FAWR, BRÂN Y GORS, ADERYN CORFF [Gweler **Barn Owl** a
Nightjar], BRÂN BYGDDU, BRÂN GREIGIAU (Mynydd Nefyn, Llŷn)

Razorbill *Alca torda* Llurs
GWALCH Y PENWAIG (Llŷn), ADERYN BRITH, POETHWY, AARON [Cri
gyddfol] [Gweler **Guillemot**], CARFIL, LLURSEN, MORRA, CARFIL GYLFIN
DU, BILI DOWCAR (Bangor) [Gweler **Cormorant**], POETHWIG

Red Grouse *Lagopus lagopus* Grugiar
IÂR Y MYNYDD (Aberdaron), CEILIOG Y MYNYDD, IÂR GOCH (Morgannwg),
GRUGIAR GOCH, COCHIAD, COCH Y GRUG, IÂR Y RHOS, IÂR Y GRUG
(Nantgarw), COCH Y GRAIG (Nantgarw), CEILIOG MYNYDD (Dinorwig)

Red Kite *Milvus milvus* Barcud
BARCUT, BARCUTAN [Gweler **Buzzard**], BODA GWENNOL, BOD [Gweler
Buzzard], BEIRI, BOD WENNOL, BOD FFORCHOG, BODA CHWIW, CUD,
CUT, CUDAN, BOD CHWIW, BERY, BERYF, BERI, CIEIT, BRERI, BODA COCH,
BOD CUDYLL, BARGED, BOD FARCHOG, HEBOG CWT FFORCHOG (Cwm
Tawe)

Redpoll *Carduelis flammea* Llinos Bengoch
LLWYD BACH, LLINOS FRONGOCH, LLINOS BENGOCH, LEIAF, PENGOCH,
LLINOS LLWYDWEN

Redshank *Tringa totanus* Pibydd Coesgoch
COCH Y GOES, TROEDGOCH, COESGOCH, BODDA, Y GOESGOCH,
TROETGOCH

Redstart　　　　　*Phoenicurus phoenicurus*　Tingoch
LLOSTRUDDYN, COCH Y FFLAM, TINBOETH, RHAWNGOCH [Gweler
Bullfinch], DERYN COCH Y FFLAM, Y DINBOETH, RHONELL GOCH,
LLOSTRUDD, CYNFFON GOCH, ADERYN Y DINFFLAM, COCH DAN EI
THIN (Bangor), LLOSTRUDD DINWYN (Sir Fôn)

Redwing　　　　　*Turdus iliacus*　　　Coch Dan-aden
ASGELL GOCH, ADAIN GOCH, ADEN GOCH, TRESGLEN GOCH (Sir Fôn),
COCH YR ADAIN, SOCEN YR EIRA [Gweler **Fieldfare**], ADERYN ADEIN
GOCH, Y DRESGLEN GOCH, COCH ASGELL, COCH DAN I ADEN, COCH EI
ADAIN, YR ADEN GOCH

Red-backed Shrike　　*Lanius collurio*　　　Cigydd Cefngoch
YSGRECH GOCH (Llandysul)

Red-breasted Flycatcher *Ficedula parva*　　Gwybedog Brongoch
GWYBEDOG FRONGOCH, CLERDDALYDD BRONGOCH

Red-breasted Goose　　*Branta ruficollis*　　Gŵydd Frongoch

Red-breasted Merganser *Mergus serrator*　　Hwyaden Frongoch
HWYADEN DDANHEDDOG FRONDDU, HWYAD ŴYDD FRONDDU, Y
TROCHYDD BRONGOCH, TROCHYDD DDANHEDDOG, HWYADEN
DDANHEDDOG FRONDDU, HWYADEN FRONDDU, TROCHYDD
FRONGOCH DDANHEDDOG (Sir Fôn)

Red-creasted Pochard　*Netta rufina*　　　Hwyaden Gribog
HWYADEN BENGOCH GOPOG

Red-eyed Vireo　　　*Vireo olivaceous*　　Telor Llygatgoch

Red-footed Falcon　　*Falco vespertinus*　Cudyll Troedgoch
CUDYLL COESGOCH, HEBOG GOESGOCH

Red-headed Bunting　　*Emberiza bruniceps*　Bras Pengoch

Red-necked Grebe　　*Podiceps grisegena*　Gwyach Yddfgoch
GWYACH WDDFGOCH

Red-legged Partridge　*Alectoris rufa*　　Petrisen Goesgoch

Red-necked Phalarope　*Phalaropus lobatus*　Llydandroed
　　　　　　　　　　　　　　　　　　　Gyddfgoch
PIBYDD GYDDFGOCH LLYDANDROED, PIBYDD COCH LLYDANDROED,
PIBYDD GWDDFGOCH LLYDANDROED

Red-rumped Swallow　*Hirundo daurica*　　Gwennol Dingoch

Red-throated Diver　　*Gavia stellata*　　Trochydd Gyddfgoch
TROCHYDD BRITH, GWDDWGOCH, YMSUDDWR GWDDFGOCH (Sir Fôn)

Red-throated Pipit   *Anthus cervinus*   Corhedydd Gyddfgoch

Reed Bunting   *Emberiza schoeniclus*   Bras y Cyrs
BRAS Y GORS, GOLFAN Y GORS, PENDDU'R BRYN, PENDDU'R BRWYN [Gweler **Blackcap**], BRAS PENDDU, PENLOYN Y GORS, PENTWYN Y GORS

Reed Warbler   *Acrocephalus scipaceus*   Telor y Cyrs
TELOR YR HESG, LLWYD Y GORS, TELOR Y CAWN (Sir Fôn), TELOR Y GORS [Gweler **Marsh Warbler**], ADERYN Y CYRS, DRYW'R HESG [Gweler **Sedge Warbler**], CHWINC Y CYRS ,LLWYD YR HELYG, CWINC Y CYRS

Richard's Pipit   *Authus novaeseelandiae*   Corhedydd Richard
PIBGANYDD RHISIART

Ring Ouzel   *Turdus torquatus*   Mwyalchen y Mynydd
MWYALCHEN Y GRAIG, Y MERWYS, ADERYN DU Y MYNYDD, Y FWYALCHEN FRONWEN, GWIALCHEN Y GRAIG, RHEGEN Y GRAIG, JAC Y GRAIG (Craig Cefn Parc, Cwm Tawe), FRONFRAITH GWDDF GADWYNOG (Llandysul)

Ringed Plover   *Charadrius hiaticula*   Cwtiad Torchog
MÔR HEDYDD [Gweler **Turnstone**}, HUTAN Y MÔR, CORNICYLL MODRWYOG, CORNICYLL CADWYNOG, CWTYN MODRWYOG, BRONDDU'R TWYNAU (Gweler **Lapwing**), CWTIAD MODRWYOG, HEDYDD Y TYWOD, HEDYDD Y MÔR (Clynnog/Llŷn/Eifionydd)

Ring-billed Gull   *Larus delawarensis*   Gwylan Fodrwybig

Ring-necked Duck   *Aythya collaris*   Hwyaden Dorchog

Ring-necked Parakeet   *Psittacula*   Paracit Torchog

River Warbler   *Locustella fluviatilis*   Telor yr Afon

Robin   *Erithacus rubecula*   Robin Goch
BRONGOCH, BRONRHYDDUN, COCH-GAM (Dyffryn Aman), YR HOBI GOCH, BRONRHUDDOG, GWELI GAM (Sir Gaerfyrddin), ROPIN BOLA GOCH (Morgannwg), ADERYN BACH BRONGOCH (Hirwaun), ROBIN FRONGOCH (Sir Benfro), ROPIN GOCH (Nantgarw), ROPIN (Llansamet), BRONGOCHYN

Rock Bunting   *Emberiza cia*   Bras y Graig

Rock Dove   *Columba livia*   Colomen y Graig
COLOMEN Y CLOGWYN, YSGUTHAN [Gweler **Woodpigeon**], YSGUTHAN Y GRAIG

Rock Pipit   *Anthus petrosus*   Corhedydd y Graig
WID-WID, PIBYDD Y GRAIG, EHEDYDD Y GRAIG, PIBGANYDD Y GRAIG (Sir Fôn), HEDYDD COCH [Gweler **Meadow Pipit**], EHEDYDD BACH [Gweler **Skylark** a **Meadow Pipit**], ANHYWEL

Rock Sparrow   *Petronia petronia*   Golfan y Graig
LLWYD Y GRAIG

Rock Thrush   *Monticola saxatilis*   Bronfraith y Graig

Roller   *Coracias garrulus*   Rholydd
COGOR, RHOLEN, Y RHOLYDD

Rook   *Corvus frugilegus*   Ydfran
BRÂN BIGWEN, Y FRÂN, BRÂN TYDDYN, RWCSEN, BRÂN BRECWAST (Maldwyn)

Roseate Tern   *Sterna dougallii*   Morwennol Wridog
MORWENNOL ROSLIW

Rose-breasted Grosbeak *Pheucticus ludovicianus*   Gylfindew Brongoch

Rose-coloured Starling   *Sturnus roseus*   Drudwen Wridog
DRUDWY GOCHLIW, DRUDWEN ROSLIW

Ross's Gull   *Rhodostethia rosea*   Gwylan Ross

Rough-legged Buzzard   *Buteo lagopus*   Bod Bacsiog
BODA COES GARW, BOD COESBLUOG, BODA GARWGOES

Royal Tern   *Sterna maxima*   Morwennol Fawr

Ruddy Duck   *Oxyura jamaicensis*   Hwyaden Goch

Ruddy Shelduck   *Tadorna ferruginea*   Hwyaden Goch yr Eithin

Ruff   *Philomachus pugnax*   Pibydd Torchog
COLOMEN GRECH, YR YMLADDWR, YR YMLADDGAR, YR ADERYN YMLADDGAR, PAFFIWR, CRYCHDORCH

Ruppell's Warbler   *Sylvia rueppelli*   Telor Ruppell

Rustic Bunting   *Emberiza rustica*   Bras Gwledig

Sabine's Gull   *Larus sabini*   Gwylan Sabine

Sand Martin   *Riparia riparia*   Gwennol y Glennydd
GWENNOL Y DŴR [Gweler **Swift**], GWENNOL Y LLYNNOEDD, GWENNOL Y TRAETH, GWENNOL Y LLYNNAU, GWENNOL Y MÔR (Llandysul), GROIG Y DŴR, GWICH Y GLENNYDD (Sir Fôn)

Sanderling *Calidris alba* Pibydd y Tywod
HUTAN LWYD, PIBYDD Y TRAETH [Gweler **Common Sandpiper**], LLWYD Y
TYWOD [Gweler **Dunlin**], HUTAN Y TYWOD, ADERYN BRITH (Llŷn)

Sandwich Tern *Sterna sandvicensis* Morwennol Bigddu
MORWENNOL CAINT

Sardinian Warbler *Sylvia melanocephala* Telor Sardinia

Savi's Warbler *Locustella luscinioides* Telor Savi

Scaup *Aythya marila* Hwyaden Benddu
HWYADEN LYGAD ARIAN, HWYAD BENDDU, LLYGAID ARIAN

Scops Owl *Otus scops* Tylluan Scops
DYLLUAN GORNIOG FECHAN

Sedge Warbler *Acrocephalus schoenobaenus* Telor yr Hesg
TELOR Y DŴR, DRYW'R HESG, LLWYD Y GORS, LLWYD YR HELYG,
HEDYDD YR HELYG, LLWYD YR HESG, GWRACHEN BACH, PEGI
WINDRED (Sir Fflint), HESG GANWR (Llandysul)

Semipalmated Sandpiper *Calidris pusilla* Pibydd Llwyd

Serin *Serinus serinus* Llinos Frech
MELYNOG, ADERYN GWLAD YR HAF, CANERI GWYLLT, MELYNOG
GWYLLT, SERIN

Shag *Phalacrocorax aristotelis* Mulfran Werdd
MULFRAN FECHAN, MULFRAN GOPOG, MORFRAN GOPOG, MORFRAN
WERDD, MULFRAN LEIAF, SHAGAN(Llŷn)

Sharp-tailed Sandpiper *Calidris acuminata* Pibydd Gynffonfain

Shelduck *Tadorna tadorna* Hwyaden yr Eithin
HWYADEN FRAITH, HWYADEN FRITH, LADYFOWL (Meirionnydd),
HWYADEN GLADDU (Gweler **Little Grebe**), CERYN (Sir Fôn)

Shore Lark *Eremophila alpestris* Ehedydd y Traeth
EHEDYDD GLAN Y MÔR

Short-eared Owl *Asio flammeus* Tylluan Glustiog
DYLLUAN GLUSTFER, DYLLUAN BYR-GLUSTOG (Llandysul), DYLLUAN
GLUST GWTA

Short-toed Lark *Calandrella brachydactyla* Ehedydd Llwyd
EHEDYDD BYRFYS

Shoveler *Anas clypeata* Hwyaden Lydanbig
HWYADEN BIGLYDAN, HWYAD LYDANBIG, LLWYAREN

Siskin   *Carduelis spinus*   Pila Gwyrdd
DREINIOG [Sylwer ar yr enw Lladin], LLINOS WERDD [Gweler **Greenfinch**], PIBYDD GWYRDD (Sir Fôn) [Gweler **Green Sandpiper**], DOGYLL, TELOR YR EIRA, SISGYN

Skylark   *Alauda arvensis*   Ehedydd
UCHEDYDD, EHEDYDD BACH [Gweler **Meadow Pipit** a **Rock Pipit**], HEDYDD, MEILIERYDD, HEDYDD MAWR, LARCEN, ETIDD, EHEDYDD GOPOG, ICHETYDD

Slavonian Grebe   *Podiceps auritus*   Gwyach Gorniog
GWYACH GLUSTIOG   [Gweler **Black-necked Grebe**]

Smew   *Mergus albellus*   Lleian Wen
HWYAD ŴYDD LWYDWEN, HWYAD ŴYDD LEDWEN, TROCHYDD PENWYN

Snipe   *Gallinago gallinago*   Gïach Gÿffredin
GÏACH, YSNIDEN, DAFAD Y GORS, SNIPEN, GÏACH MYNIAR, GAFR Y GORS [Gweler **Nightjar**], GAFR WANWYN, SNEIPEN Y FYNIAR, Y FYNIAR, YSNITEN, YSNIFEN, BIACH, CUACH, CASEG CORS (Pen y Gwrhyd, Cwm Tawe)

Snow Bunting   *Plectrophenax nivalis*   Bras yr Eira
ADERYN EIRA, GOLFAN YR EIRA, BI FACH YR EIRA

Snow Finch   *Montifringilla nivalis*   Llinos yr Eira

Snowy Owl   *Nyctea scandiaca*   Tylluan yr Eira
TYLLUAN Y GOGLEDD

Sociable Plover   *Chettusia gregaria*   Cwtiad Heidiol

Song Sparrow   *Zonotrichia melodia*   Llwyd Persain

Song Thrush   *Turdus philomelos*   Bronfraith
Y FRONFRAITH, BRONFRAITH Y GRUG, ADERYN BRONFRAITH, BRONFRAITH FAWR (Penllyn) [Gweler **Mistle Thrush**], CRECER, BRONWATH (Sir Fflint), BWM FRAITH, BWNFRAITH (Cwm Tawe), CLOG [YCeiliog] (Caernarfon), BRONFRAITH Y GÂN

Sooty Shearwater   *Puffinus griseus*   Aderyn-drycin Du
PÂL DU, ADERYN DRYCIN DU

Sooty Tern   *Sterna fuscata*   Morwennol Fraith
MORWENNOL BARDDU

Sora Rail   *Porzana carolina*   Rhegen Sora

Sparrowhawk *Accipiter nisus* Gwalch Glas
CUDYLL GLAS [Gweler **Peregrine Falcon**], GWIPIA, GWIBIWR, LLAMYSTEN [Gweler **Merlin**], CURYLL GLAS, PILAN, GWEPIA, LLAMYSTAEN [Gweler **Merlin**], GWALCH, HEBOG LLWYDWYN, BOD GLAS [Gweler **Peregrine, Hen Harrier a Merlin**] (Sir Fflint), GIALCHEN GOCH, GALAN GOCH [Gweler **Kestrel**], LLAMYSTYN (Meirionnydd), Y CORNWALCH, CORWALCH, GWIPAI, HEBOG Y COED

Spoonbill *Platalea leucorodia* Llwybig
Y LLYDANBIG

Spotted Crake *Porzana porzana* Rhegen Fraith
RHEGEN FANNOG, CRECIAR FRECH FAWR, RHEGEN FAWNOG, DYFRIAR FANNOG, RHEGEN Y GORS, RHEGEN YSMOTIOG

Spotted Flycatcher *Muscicapa striata* Gwybedog Mannog
GWYBEDWR BRITH, CYLIONYDD, PRYFETWR BRITH, GWYBEDWR MANNOG, GWYBEDOG, CLERDDALYDD MANNOG, GWIBERWR YSMOTIOG, LLWYD Y GARREG, CLÊR-DDALIWR LLYWIOG (Llandysul)

Spotted Redshank *Tringa erythropus* Pibydd Coesgoch Mannog
PIBYDD MANNOG, COESGOCH, MANNOG, COESGOCH DU

Spotted Sandpiper *Actitis macularia* Pibydd Brych

Squacco Heron *Ardeola ralloides* Crëyr Melyn
CRYR CRANCOD, CRYCHYDD COESGOCH

Starling *Sturnus vulgaris* Drudwen
DRUDWY, DRYDW, ADERYN YR EIRA, SGRECH [Gweler **Jay**], ADERYN Y DDRYCIN, DRUDWS, DRUDAN (Llanelli), DRIDWST, DERYN DRYCIN, ADERYN DIEITHR, ADERYN DIARTH (Arfon), DRIDUN (Llangennech), DRYDWS, DRUDWSYN (Sir Benfro), TRWDWS (Nantlle), DRYDWR, DRIDDUS (Llwchwr), DYRNOD YR EIRA (Morgannwg), TRIDWNS, TRWDAN (Llŷn), DRIDW (Ceinewydd), ADERYN DU'R EIRA, DRWDWST (Bangor)

Stock Dove *Columba oenas* Colomen Wyllt
YSGUTHELL, CUDDAN, COLOMEN DDOF, COLOMEN Y GOEDWIG, YSGUTHAN Y CEUBREN

Stone Curlew *Burhinus oedicnemus* Rhedwr y Moelydd
GYLFINIR Y CERRIG, CWTIAD MAWR, CHWIBANOGL Y CERRIG

Stonechat *Saxicola torquata* Clochdar y Cerrig
CREC YR EITHIN [Gweler **Whinchat**], CREC Y GARREG, CLEGR Y GARREG, TINWEN Y GARREG [Gweler **Wheatear**], CREC Y GARN, WIL CAP DU, COCH Y CERRIG, TINWYN Y GARN [Gweler **Wheatear**], CLEP CERRIG, CLEP Y CERRIG, CLOCHDAR CERRIG, CREC PENDDU'R EITHIN, WIL CAPAN DU

[Gweler **Blackcap**], CREC Y CERRIG, CLEP Y GARREG, CLACHDAR Y CERRIG, CRECAR Y CERRIG, CLECAR Y CERRIG, CAP LLEDAR (Bangor), CRACAS YR EITHIN (Bangor)

Storm Petrel   *Hydrobates pelagicus*   Pedryn Drycin
PEDRYN Y DRYCH, CAS GAN LONGWR, PEDRYN YR YSTORM, ADERYN Y FROCHELL, GWYLAN PEDR, PEDRYN DRYCIN, GWYLAN Y WEILGI

Subalpine Warbler   *Sylvia cantillans*   Telor Brongoch

Summer Tanager   *Piranga rubra*   Euryn yr Haf

Surf Scoter   *Melanitta perspicillata*   Môr-hwyaden yr Ewyn
HWYADEN DDU Y TRAETHFOR

Swainson's Thrush   *Catharus ustulatus*   Corfronfraith

Swallow   *Hirundo rustica*   Gwennol
GWENNOL Y SIMNAI, Y WENNOL, GWENFOL, GWENNOL Y SIMDDE, GWENNOL LAS

Swift   *Apus apus*   Gwennol Ddu
GWRACH YR ELLYLL, ASGELL HIR, ADERYN YR EGLWYS, ADERYN DU'R LLAN, Y BIWITA, Y FOLWEN, SGILPEN, MARTHIN DU, Y WENNOL DDU FAWR, BIWITS, GWENNOL GWBLDDU, GWENNOL Y DŴR (Llandysul) [Gweler **Sand Martin**], GWENNOL FUAN, GWENNOL Y DWFR

Tawny Owl   *Strix aluco*   Tylluan Frech
GWDIHŴ GOCH, Y DYLLUAN FRECH, TYLLUAN Y COED, ADERYN CORFF [Gweler **Barn Owl**], GWDIHŴ, ADERYN Y CYRFF, DYLLUAN FELYNDDU (Llandysul), DYLLUAN FIG, DYLLUAN RUDD, DYLLUAN LWYD

Tawny Pipit   *Anthus campestris*   Corhedydd Melyn
PIBGANYDD MELYNDDU

Teal   *Anas crecca*   Corhwyaden
TELSAN (Dinorwig), CRACH-HWYADEN, CORHWYAD CRACH-HWYAD, HWYAD LEIAF, TILSEN, TELSAN FACH

Temminck's Stint   *Calidris temminckii*   Pibydd Temminck

Thrush Nightingale   *Luscinia luscinia*   Eos Fronfraith

Tree Pipit   *Anthus trivialis*   Corhedydd y Coed
PIBYDD Y COED, PIBGANYDD Y COED (Llandysul), HEDYDD BACH Y CAE, EHEDYDD Y COED, EHEDYDD Y LLWYN

Tree Sparrow   *Passer montanus*   Golfan y Mynydd
GOLFAN Y COED, ADERYN Y MYNYDD, LLWYD Y COED, LLWYD BACH Y COED

Treecreeper   *Certhia familiaris*   Dringwr Bach
CROPIEDYDD, CREPIANOG, ADERYN PEN BAWD, YMLUSGYDD Y COED, Y CRIPIANYDD, Y DRINGWR, DRINGEDYDD BACH, CREPIANWG

Tufted Duck   *Aythya fuligula*   Hwyaden Gopog
HWYADEN GOPYNOG, HWYAD GOPOG

Turnstone   *Arenaria interpres*   Cwtiad y Traeth
HUTAN Y DŴR, HUTAN Y MÔR, HUTAN Y DŴR RHUDDIOG

Turtle Dove   *Streptopelia turtur*   Turtur
COLOMEN FAIR, Y DDURTUR, ADERYN MAIR

Twite   *Carduelis flavirostris*   Llinos y Mynydd
LLINOS FYNYDD, GOLFAN TINGOCH, DINGOCH [Gweler **Redstart**]

Two-barred Crossbill   *Loxia leucoptera*   Croesbig Wenaden

Upland Sandpiper   *Bartramia longicauda*   Pibydd Cynffonhir

Velvet Scoter   *Melanitta fusca*   Môr-hwyaden y Gogledd
HWYADEN DDU FELFEDOG, HWYADEN FELFEDOG

Water Pipit   *Anthus spinoletta*   Corhedydd y Dŵr

Water Rail   *Rallus aquaticus*   Rhegen y Dŵr
RHEGEN Y GORS, CWTIAR Y DŴR, CWTIAR [Gweler **Coot**], CORSIAR, CAS GAN FFOWLER [Gweler **Little Grebe**], SOFLIAR Y DŴR

Waxwing   *Bombycilla garrulus*   Cynffon Sidan
ADAIN GŴYR, SIDAN GYNFFON

Wheatear   *Oenanthe oenanthe*   Tinwen y Garn
Y GYNFFONWEN, TINWEN Y GARREG (Pen Llŷn), TINWYN Y GARN, TINWYN, CYNFFONWEN, TINWEN Y CERRIG, TINWYN Y GRAIG, Y DINWEN, TINWYN TÂR (Sir Benfro), TINWAN Y GARRAG (Bangor), Y BI FACH (Cwm Tawe), DERYN TAN GARREG (Blaenau Ffestiniog), ADERYN Y GWENITH (Llandysul)

Whimbrel   *Numenius phaeopus*   Coegyflinir
Y GOEG CHWIBANOGL, GYLFINIR Y COED

Whinchat   *Saxicola rubetra*   Crec yr Eithin
CLOCHDAR YR EITHIN, CLAP YR EITHIN, COCH YR EITHIN, CLEP YR EITHIN, CLOCHDAR EITHIN, TINWYN CWYNFANLLYD (Llandysul), CLOCHDER YR EITHIN, CRECAR YR ITHIN, CLECAR YR ITHIN (Sir Fflint)

Whiskered Tern   *Chlidonias hybridus*   Corswennol Farfog

White Stork   *Ciconia ciconia*   Ciconia Gwyn
CICONIA, CHWIBON, CHWIBON GWYN

White Wagtail   *Motacilla alba*   Siglen Wen
BRITH Y FUCHES, SIGLDIGWT, TINSIGL Y GŴYS, TINSIGL WEN

Whitethroat   *Sylvia communis*   Llwydfron
GWYDDFWYN, BARFOG, LLWYD Y DANADL (Sir Fôn), DRYW WEN [Gweler
Garden Warbler a **Willow Warbler**], GWDDW GWYN (Pen Llŷn), BARFAWG,
DRYW'R DRYSNI, BRONWEN, Y FRONWEN, BRONWEN Y LLWYN, DRYW
FACH WEN, BARFOG LLWYDFRON (Sir Fôn), PENLLWYD RHUDDGOCH

White-billed Diver   *Gavia adamsii*   Trochydd Pigwen

White-fronted Goose   *Anser albifrons*   Gŵydd Dalcen-wen
GŴYDD DALCENWEN, GŴYDD DALCEN GWYN, GŴYDD FRONWEN

White-rumped Sandpiper *Calidris fuscicollis*   Pibydd Tinwen

White-tailed Eagle   *Haliaeetus albicilla*   Eryr y Môr
ERYR GYNFFONWEN, ERYR TINWYN, ERYR MAWR Y MÔR

White-throated Robin   *Irania gutturalis*   Robin Gyddfwyn

White-throated Sparrow *Zonotrichia albicollis*   Llwyd Gyddfwyn

White-winged Black Tern *Chlidonias leucopterus*   Corswennol Adeinwen

White-winged Crossbill *Loxia leucoptera*   Croesbig Wenaden

Whooper Swan   *Cygnus cygnus*   Alarch y Gogledd
ALARCH GWYLLT, ALARCH WYLLT, ALARCH CHWIBANOL [Sŵn yr
adenydd]

Wigeon   *Anas penelope*   Chwiwell
WIWELL, CHWIWIAD, CHWIW [Cân y ceiliog "Whiiiiiw"], CHWIWEN (Sir Fôn)

Willow Tit   *Parus montanus*   Titw'r Helyg
YSWIDW'R HELYG

Willow Warbler   *Phylloscopus trochilus*   Telor yr Helyg
DRYW'R HELYG, DRYW WEN, CAETHLYDD Y COED, SIAN FACH YR HESG,
DRYW FELEN [Gweler **Chiffchaff** a **Willow Warbler**], SIAN FACH YR HELYG,
DRYW BACH Y DDAEAR, BRYCHYDD YR HELYG, CRYCHYDD YR HELYG
(Llandysul)

Wilson's Petrel   *Oceanites oceanicus*   Pedryn Wilson

Wilson's Phalarope   *Phalaropus tricolor*   Llydandroed Wilson

Wood Sandpiper   *Tringa glareola*   Pibydd y Graean
PIBYDD Y COED

Wood Warbler   *Phylloscopus sibilatrix*   Telor y Coed
DRYW'R DŴR, DRYW'R DDAEAR, DRYW'R COED, DRYW FELEN [Gweler **Chiffchaff** a **Willow Warbler**], GWRACH, GWRACHELL Y COED, CANWR Y COED (Llandysul)

Woodchat Shrike   *Lanius senator*   Cigydd Pengoch
CIGYDD GLAS

Woodcock   *Scolopax rusticola*   Cyffylog
CYFFLOGYN (Llanberis), CAFFALOG, CYFFOLOG (Aberteifi)

Woodlark   *Lullula arborea*   Ehedydd y Coed
ESGUDOGYLL, HEDYDD Y COED, YR ENID, HEDYDD ESGUDOGYLL

Woodpigeon   *Columba palumbus*   Ysguthan
COLOMEN WYLLT [Gweler **Stock Dove**], CUDDAN, COLOMEN GOED, YSGUTHAN GADWYNOG, COLOMEN GADWYNOG, COLOMEN CINIO (Maldwyn)

Wren   *Troglodytes troglodytes*   Dryw
DRYW BACH, CHWYNNWR, POWLIN BACH, POLWYN BACH [Bangor], POMPEN, BARAN

Wryneck   *Jynx torquilla*   Pengam
GWDDFGAM, GYDDFGAM, GYDDFDRO, GWAS Y GOG [Gweler **Meadow Pipit**], DELOR LLWYD WYN, GWAS Y GWCW (Llanelli), CETHLYDD Y GOG

Yellow Wagtail   *Motacilla flava*   Siglen Felen
BRITH Y FUCHES FELEN, TINSIGL FELEN, SIGL DIN FELEN, BILI BOL MELYN (Bangor), SHIGWTI FELEN

Yellow Warbler   *Dendroica petechia*   Telor Melyn

Yellowhammer   *Emberiza citrinella*   Bras Melyn
MELYN YR EITHIN, PENFELYN, LLINOS FELEN [Gweler **Greenfinch**], DRINWS FELEN, GWAS Y NEIDR, YSGRAS, LLAFNES FELEN, PENAUR, MELYNOG, DYNAS FELAN, SNOSEN FELEN, RHOSEN FELAN, BRAS FELEN, DINAS FELEN, Y BENFELEN, LLINOS BENFELEN, DERYN PENFELYN, PENFELEN, MODRYB Y NEIDR, CNEITHER Y NEIDR, MORWN Y NEIDR, BWMP Y PYS, DRINUS BACH, DRINUS FELAN, DINAS BENFELEN (Bangor), ADERYN MELYN BRAS YR ŶD (Llandysul), PENEURYN

Yellow-billed Cuckoo   *Coccyzus americanus*   Cog Bigfelen

Yellow-breasted Bunting *Emberiza aureola*   Bras Bronfelen

Yellow-browed Warbler *Phylloscopus inornatus*   Telor Aelfelyn

Yellow-rumped Warbler *Dendroica coronata* Telor Tin-felyn

Yellow-legged Gull *Larus cachinnans* Gwylan Goesmelyn

Llyfryddiaeth

Clinton-Fynes, O. H.: *The Welsh Volcabulary of the Bangor District* (Cyf. 1 a 2), Oxford University Press, 1913

Davies, W. J.: *Hanes Plwyf Llandyssul*, Llandysul, 1896

Green, J.: *Birds in Wales 1992-2000*, Cymdeithas Adaryddol Cymru, 2002

Greenoak, F.: *All the Birds of the Air*, Andrea Deutsch, 1979

Griffiths, B. (gol.): *Gwerin Eiriau Maldwyn*, Llygad yr Haul, 1981

Jackson, Christine E.: *British Names of Birds*, Witherby, 1968

Jones, Bedwyr Lewis: *Iaith Sir Fôn* (ailargraffiad), Llygad yr Haul, 1984

Jones, E. V. Breeze: *Yr Adar Mân*, Gwasg Prifysgol Cymru, 1967

Jones, P. Hope & Jones, E. V. Breeze: *Rhestr o Adar Cymru*, Amgueddfa Genedlaethol Cymru, 1973

Jones, P. Hope & Whalley P.: *Adar Môn/Birds of Anglesey*, Menter Môn, 2004

Lockwood, W. B.: *The Oxford Book of British Bird Names*, Oxford University Press, 1984

Lovegrove, R., Williams, G., Williams, I.: *Birds in Wales*, Poyser, 1994

Phillips, Cambridge E.: *The Birds of Breconshire* (ailargraffiad), Edwin Davies, 1899

Williams, Moelwyn D.: *Geiriadur y Gwerinwr*, Gwasg Gee, 1975

Williams, Robert: *The History and Antiquities of the Town of Aberconwy and its Neighbourhood*, Gwasg Gee, 1835

Williams, T. Hudson: *Atgofion am Gaernarfon*, Gwasg Gomer, 1950

Diolchiadau

Twm Elias
Elfyn Lewis
Iolo Williams
Jon Gower
Twm Morys
Angharad Dafis
Gwen Williams
Vivian Davies

Dewi E Lewis

Mae Dewi Lewis yn parhau yn aderyn alltud ers iddo fudo o Borthmadog i Glydach, Cwm Tawe ddiwedd yr 1980au. Adeiladodd nyth ac erbyn hyn mae tri chyw Siôn, Gwion a Tomos i'w bwydo. Mae'r diddordeb mewn enwau llafar ar adar yn parhau a ffrwyth y diddordeb parhaol yw'r gyfrol yma. Ar hyn o bryd mae'n brysur yn paratoi Llawlyfr ar Enwau Adar – sef cyfrol fydd gobeithio yn adrodd y stori sydd tu ôl i'r enwau. Nid yw Hollywood wedi mynegi diddordeb hyd yma!